Jesus no Lar

Francisco Cândido Xavier

Jesus no Lar

Pelo Espírito
Neio Lúcio

FEB

Copyright © 1950 *by*
FEDERAÇÃO ESPÍRITA BRASILEIRA – FEB

37ª edição – 24ª impressão – 5 mil exemplares – 1/2025

ISBN 978-85-7328-592-5

Todos os direitos reservados. Nenhuma parte desta publicação pode ser reproduzida, armazenada ou transmitida, total ou parcialmente, por quaisquer métodos ou processos, sem autorização do detentor do *copyright*.

FEDERAÇÃO ESPÍRITA BRASILEIRA – FEB
SGAN 603 – Conjunto F – Avenida L2 Norte
70830-106 – Brasília (DF) – Brasil
www.febeditora.com.br
editorial@febnet.org.br
+55 61 2101 6161

Pedidos de livros à FEB
Comercial
Tel.: (61) 2101 6161 – comercial@febnet.org.br

Adquirindo esta obra, você está colaborando com as ações de assistência e promoção social da FEB e com o Movimento Espírita na divulgação do Evangelho de Jesus à luz do Espiritismo.

Dados Internacionais de Catalogação na Publicação (CIP)
(Federação Espírita Brasileira – Biblioteca de Obras Raras)

L938j	Lúcio, Neio (Espírito)
	Jesus no lar / pelo Espírito Neio Lúcio; [psicografado por] Francisco Cândido Xavier. – 37. ed. – 24. imp – Brasília: FEB, 2025.
	168 p.; 23 cm.
	Inclui índice geral
	ISBN 978-85-7328-592-5
	1. Jesus Cristo. 2. Interpretações espíritas. 3. Obras psicografadas. I. Xavier, Francisco Cândido, 1910–2002. II. Federação Espírita Brasileira. III. Título.

CDD 133.93
CDU 133.7
CDE 80.01.00

Sumário

Jesus no lar 7
1 O culto cristão no lar 9
2 A escola das almas 11
3 Explicações do Mestre 14
4 A lição da semente 17
5 O servo inconstante 20
6 Os instrumentos da perfeição 23
7 O maior servidor 26
8 O príncipe sensato 29
9 O mensageiro do amor 32
10 O juiz reformado 35
11 O santo desiludido 38
12 Os descobridores do homem 41
13 O revolucionário sincero 44
14 A coroa e as asas 47
15 O ministro sábio 50
16 O auxílio mútuo 53
17 A exaltação da cortesia 56
18 A bênção do estímulo 59
19 A receita da felicidade 62

20	A caridade desconhecida	65
21	O rico vigilante	68
22	O talismã divino	71
23	Os mensageiros distraídos	73
24	Os sinais da renovação	76
25	A visita da Verdade	79
26	O valor do serviço	82
27	O dom esquecido	85
28	A resposta celeste	88
29	A parábola relembrada	91
30	A regra de ajudar	94
31	A razão da dor	97
32	A fé vitoriosa	100
33	O apelo divino	103
34	A serva escandalizada	106
35	A necessidade de entendimento	109
36	O problema difícil	112
37	O filho ocioso	115
38	O argumento justo	118
39	O poder das trevas	121
40	O venenoso antagonista	124
41	O incentivo santo	127
42	A mensagem da compaixão	130
43	A glória do esforço	133
44	A lição do essencial	136
45	O imperativo da ação	139
46	A árvore preciosa	142
47	O educador conturbado	145
48	O proveito comum	148
49	A jornada redentora	151
50	Em oração	154

Índice geral 157

Jesus no lar

Para a generalidade dos estudiosos, o Cristo permanece tão somente situado na História, modificando o curso dos acontecimentos políticos do mundo; para a maioria dos teólogos, é simples objeto de estudo, nas letras sagradas, imprimindo novo rumo às interpretações da fé; para os filósofos, é o centro de polêmicas infindáveis e, para a multidão dos crentes inertes, é o benfeitor providencial nas crises inquietantes da vida comum.

Todavia, quando o homem percebe a grandeza da Boa-Nova, compreende que o Mestre não é apenas o reformador da civilização, o legislador da crença, o condutor do raciocínio ou o doador de facilidades terrestres, mas também, acima de tudo, o renovador da vida de cada um.

Atingindo esse ápice do entendimento, a criatura ama o templo que lhe orienta o modo de ser, contudo, não se restringe às reuniões convencionais para as manifestações adorativas, e sim traz o Amigo celeste ao santuário familiar, onde Jesus, então, passa a controlar as paixões, a corrigir as maneiras e a inspirar as palavras, habilitando o aprendiz a traduzir-lhe os ensinamentos eternos por meio de ações vivas, com as quais espera o Senhor estender o divino reinado da paz e do amor sobre a Terra.

Quando o Evangelho penetra o lar, o coração abre mais facilmente a porta ao Mestre divino.

Neio Lúcio conhece esta verdade profunda e consagra, aos discípulos novos, algumas das lições do Senhor no círculo mais íntimo dos apóstolos e seguidores da primeira hora.

Hoje, que quase vinte séculos são já decorridos sobre as primícias da Boa-Nova, o domicílio de Simão se transformou no mundo inteiro...

Jesus continua falando aos companheiros de todas as latitudes. Que a sua voz incisiva e doce possa gravar no livro de nossa alma a lição renovadora de que carecemos à frente do porvir, convertendo-nos em semeadores ativos de seu infinito amor, é a felicidade maior a que poderemos aspirar.

Emmanuel
Pedro Leopoldo (MG), 3 de outubro de 1949.

1
O culto cristão no lar

Povoara-se o firmamento de estrelas, dentro da noite prateada de luar, quando o Senhor, instalado provisoriamente em casa de Simão Pedro, tomou os Sagrados Escritos e, como se quisesse imprimir novo rumo à conversação que se fizera improdutiva e menos edificante, falou com bondade:

— Simão, que faz o pescador quando se dirige para o mercado com os frutos de cada dia?

O Apóstolo pensou alguns momentos e respondeu hesitante:

— Mestre, naturalmente, escolhemos os peixes melhores. Ninguém compra os resíduos da pesca.

Jesus sorriu e perguntou, de novo:

— E o oleiro? que faz para atender à tarefa a que se propõe?

— Certamente, Senhor — redarguiu o pescador, intrigado —, modela o barro, imprimindo-lhe a forma que deseja.

O Amigo celeste, de olhar compassivo e fulgurante, insistiu:

— E como procede o carpinteiro para alcançar o trabalho que pretende?

O interlocutor, muito simples, informou sem vacilar:

— Lavrará a madeira, usará o enxó e o serrote, o martelo e o formão. De outro modo, não aperfeiçoará a peça bruta.

Calou-se Jesus, por alguns instantes, e aduziu:

— Assim, também, é o lar diante do mundo. O berço doméstico é a primeira escola e o primeiro templo da alma. A casa do homem é a legítima exportadora de caracteres para a vida comum. Se o negociante seleciona a mercadoria, se o marceneiro não consegue fazer um barco sem afeiçoar a madeira aos seus propósitos, como esperar uma comunidade segura e tranquila sem que o lar se aperfeiçoe? A paz do mundo começa sob as telhas a que nos acolhemos. Se não aprendemos a viver em paz, entre quatro paredes, como aguardar a harmonia das nações? Se nos não habituamos a amar o irmão mais próximo, associado à nossa luta de cada dia, como respeitar o eterno Pai que nos parece distante?

Jesus relanceou o olhar pela sala modesta, fez pequeno intervalo e continuou:

— Pedro, acendamos aqui, em torno de quantos nos procuram a assistência fraterna, uma claridade nova. A mesa de tua casa é o lar de teu pão. Nela, recebes do Senhor o alimento para cada dia. Por que não instalar, ao redor dela, a sementeira da felicidade e da paz na conversação e no pensamento? O Pai, que nos dá o trigo para o celeiro, por meio do solo, envia-nos a luz pelo céu. Se a claridade é a expansão dos raios que a constituem, a fartura começa no grão. Em razão disso, o Evangelho não foi iniciado sobre a multidão, mas sim no singelo domicílio dos pastores e dos animais.

Simão Pedro fitou no Mestre os olhos humildes e lúcidos e, como não encontrasse palavras adequadas para explicar-se, murmurou, tímido:

— Mestre, seja feito como desejas.

Então Jesus, convidando os familiares do apóstolo à palestra edificante e à meditação elevada, desenrolou os escritos da sabedoria e abriu, na Terra, o primeiro culto cristão do lar.

2
A escola das almas

Congregados em torno do Cristo, os domésticos de Simão ouviram a voz suave e persuasiva do Mestre, comentando os sagrados textos.

Quando a palavra divina terminou a formosa preleção, a sogra de Pedro indagou, inquieta:

— Senhor, afinal de contas, que vem a ser a nossa vida no lar?

Contemplou-a Ele, significativamente, demonstrando a expectativa de mais amplos esclarecimentos, e a matrona acrescentou:

— Iniciamos a tarefa entre flores para encontrarmos depois pesada colheita de espinhos. No começo, é a promessa de paz e compreensão; entretanto, logo após, surgem pedras e dissabores...

Reparando que a senhora galileia se sensibilizara até às lágrimas, deu-se pressa Jesus em responder:

— O lar é a escola das almas, o templo onde a sabedoria divina nos habilita, pouco a pouco, ao grande entendimento da Humanidade.

E, sorrindo, perguntou:

— Que fazes inicialmente às lentilhas, antes de servi-las à refeição?

A interpelada respondeu, titubeante:

— Naturalmente, Senhor, cabe-me levá-las ao fogo para que se façam suficientemente cozidas. Depois, devo temperá-las, tornando-as agradáveis ao sabor.

— Pretenderias, também, porventura, servir pão cru à mesa?

— De modo algum — tornou a velha humilde —, antes de entregá-lo ao consumo caseiro, compete-me guardá-lo ao calor do forno. Sem essa medida...

O divino Amigo então considerou:

— Há também um banquete festivo, na vida celestial, em que nossos sentimentos devem servir à glória do Pai. O lar, na maioria das vezes, é o cadinho santo ou o forno preparador. O que nos parece aflição ou sofrimento dentro dele é recurso espiritual. O coração acordado para a vontade do Senhor retira as mais luminosas bênçãos de suas lutas renovadoras, porque, somente aí, de encontro uns com os outros, examinando aspirações e tendências que não são nossas, observando defeitos alheios e suportando-os, aprendemos a desfazer as próprias imperfeições. Nunca notou a rapidez da existência de um homem? A vida carnal é idêntica à flor da erva. Pela manhã emite perfume; à noite, desaparece... O lar é um curso ligeiro para a fraternidade que desfrutaremos na vida eterna. Sofrimentos e conflitos naturais, em seu círculo, são lições.

A sogra de Simão escutou, atenciosa, e ponderou:

— Senhor, há criaturas, porém, que lutam e sofrem; no entanto, jamais aprendem.

O Cristo pousou na interlocutora os olhos muito lúcidos e tornou a indagar:

— Que fazes das lentilhas endurecidas que não cedem à ação do fogo?

— Ah! sem dúvida, atiro-as ao monturo, porque feririam a boca do comensal descuidado e confiante.

— Ocorre o mesmo — terminou o Mestre — com a alma rebelde às sugestões edificantes do lar. A luta comum mantém a fervura benéfica; todavia, quando chega a morte, a grande selecionadora do alimento espiritual para os celeiros de nosso Pai, os corações que não cederam ao calor santificante, mantendo-se na mesma dureza, dentro da qual foram conduzidos ao forno bendito da carne, serão lançados fora, a fim de permanecerem, por tempo indeterminado, na condição de adubo, entre os detritos da Natureza.

3
Explicações do Mestre

Em plena conversação edificante, Sara, a esposa de Benjamim, o criador de cabras, ouvindo comentários do Mestre, nos doces entendimentos do lar de Cafarnaum, perguntou, de olhos fascinados pelas revelações novas:

— A ideia do Reino de Deus, em nossas vidas, é realmente sublime; todavia, como iniciar-me nela? Temos ouvido as pregações à beira do lago e sabemos que a Boa-Nova aconselha, acima de tudo, o amor e o perdão... Eu desejaria ser fiel a semelhantes princípios, mas sinto-me presa a velhas normas. Não consigo desculpar os que me ofendem, não entendo uma vida em que troquemos nossas vantagens pelos interesses dos outros, sou apegada aos meus bens e ciumenta de tudo o que aceito como propriedade minha.

A dama confessava-se com simplicidade, não obstante o sorriso desapontado de quem encontra obstáculos quase invencíveis.

— Para isso — comentou Pedro —, é indispensável a boa vontade.

— Com a fé em nosso Pai celestial — aventurou a esposa de Simão —, atravessaremos os tropeços mais duros.

Em todos os presentes, transparecia ansiosa expectativa quanto ao pronunciamento do Senhor, que falou, em seguida a longo silêncio:

— Sara, qual é o serviço fundamental de tua casa?

— É a criação de cabras — redarguiu a interpelada, curiosa.

— Como procedes para conservar o leite inalterado e puro no benefício doméstico?

— Senhor, antes de qualquer providência, é imprescindível lavar, cautelosamente, o vaso em que ele será depositado. Se qualquer detrito ficar na ânfora, em breve todo o leite se toca de franco azedume e já não servirá para os serviços mais delicados.

Jesus sorriu e explanou:

— Assim é a revelação celeste no coração humano. Se não purificamos o vaso da alma, o conhecimento, não obstante superior, confunde-se com as sujidades de nosso íntimo, como que se degenerando, reduzindo a proporção dos bens que poderíamos recolher. Em verdade, Moisés e os profetas foram valorosos portadores de mensagens divinas, mas os descendentes do povo escolhido não purificaram suficientemente o receptáculo vivo do Espírito para recebê-las. É por isso que os nossos contemporâneos são justos e injustos, crentes e incrédulos, bons e maus ao mesmo tempo. O leite puro dos esclarecimentos elevados penetra o coração como alimento novo, mas aí se mistura com a ferrugem do egoísmo velho. Do serviço renovador da alma restará, então, o vinagre da incompreensão, adiando o trabalho efetivo do Reino de Deus.

A pequena assembleia, na sala de Pedro, recebia a lição sublime e singela, comovidamente, sem qualquer interferência verbal.

O Mestre, porém, levantando-se com discrição e humildade, afagou os cabelos da senhora que o interpelara e concluiu, generoso:

— O orvalho num lírio alvo é diamante celeste, mas, na poeira da estrada, é gota lamacenta. Não te esqueças dessa verdade simples e clara da Natureza.

4
A lição da semente

Diante da perplexidade dos ouvintes, falou Jesus, convincente:
— Em verdade, é muito difícil vencer os aflitivos cuidados da vida humana. Para onde se voltem nossos olhos, encontramos a guerra, a incompreensão, a injustiça e o sofrimento. No templo, que é o lar do Senhor, comparecem o orgulho e a vaidade nos ricos, o ódio e a revolta nos pobres. Nem sempre é possível trazer o coração puro e limpo, como seria de desejar, porque há espinheiros, lamaçais e serpentes que nos rodeiam. Entretanto, a ideia do Reino Divino é assim como a semente minúscula do trigo. Quase imperceptível é lançada a terra, suportando-lhe o peso e os detritos, mas, se germina, a pressão e as impurezas do solo não lhe paralisam a marcha. Atravessa o chão escuro e, embora dele retire em grande parte o próprio alimento, o seu impulso de procurar a luz de cima é dominante. Desde então, haja sol ou chuva, faça dia ou noite, trabalha sem cessar no próprio crescimento e, nessa ânsia de subir, frutifica para o bem de todos. O aprendiz que sentiu a

felicidade do avivamento interior, qual ocorre à semente de trigo, observa que longas raízes o prendem às inibições terrestres... Sabe que a maldade e a suspeita lhe rondam os passos, que a dor é ameaça constante; todavia, experimenta, acima de tudo, o impulso de ascensão e não mais consegue se deter. Age constantemente na esfera de que se fez peregrino, em favor do bem geral. Não encontra seduções irresistíveis nas flores da jornada. O reencontro com a Divindade, de que se reconhece venturoso herdeiro, constitui-lhe objetivo imutável e não mais descansa, na marcha, como se uma luz consumidora e ardente lhe torturasse o coração. Sem perceber, produz frutos de esperança, bondade, amor e salvação, porque jamais recua para contar os benefícios de que se fez instrumento fiel. A visão do Pai é a preocupação obcecante que lhe vibra na alma de filho saudoso.

O Mestre silenciou por momentos e concluiu:

— Em razão disso, ainda que o discípulo guarde os pés encarcerados no lodo da Terra, o trabalho infatigável no bem, no lugar em que se encontra, é o traço indiscutível de sua elevação. Conheceremos as árvores pelos frutos e identificaremos o operário do Céu pelos serviços em que se exprime.

A essa altura, Pedro interferiu, perguntando:

— Senhor, que dizer, então, daqueles que conhecem os sagrados princípios da caridade e não os praticam?

Esboçou Jesus manifesta satisfação no olhar e elucidou:

— Estes, Simão, representam sementes que dormem, apesar de projetadas no seio dadivoso da terra. Guardarão consigo preciosos valores do Céu, mas jazem inúteis por muito tempo. Estejamos, porém, convictos de que os aguaceiros e furacões passarão por elas, renovando-lhes a posição no solo, e elas germinarão, vitoriosas, um dia. Nos campos de nosso Pai, há milhões de almas assim, aguardando as tempestades renovadoras da experiência, para que se dirijam à glória do futuro. Auxiliemo-las com amor e prossigamos, por nossa vez, mirando a frente!

Em seguida, ante o silêncio de todos, Jesus abençoou a pequena assembleia familiar e partiu.

5

O servo inconstante

À frente de todos os presentes, o Mestre narrou com simplicidade:

— Certo homem encontrou a luz da Revelação divina e desejou ardentemente habilitar-se para viver entre os anjos do Céu.

"Tanto suplicou essa bênção ao Pai que, por meio da inspiração, o Senhor o enviou ao aprimoramento necessário com vistas ao fim a que se propunha.

"Por intermédio de vários amigos, orientados pelo Poder divino, o candidato, que demonstrava acentuada tendência para escultura, foi conduzido a colaborar com antigo mestre, em mármore valioso. No entanto, a breve tempo, demitiu-se, alegando a impossibilidade de submeter-se a um homem ríspido e intratável; transferiu-se, desse modo, para uma oficina consagrada à confecção de utilidades de madeira, sob as diretrizes de velho escultor. Abandonou-o também, sem delongas, asseverando que lhe não era possível suportá-lo. Em seguida, empregou-se sob as determinações de conhecido operário especializado em construção de colunas em estilo grego. Não tardou, entretanto, a deixá-lo, declarando não lhe tolerar as exigências. Logo após, entregou-se ao trabalho sob as ordens de experimentado escultor de ornamentações em arcos festivos, mas, finda uma semana, fugiu aos compromissos assumidos, afirmando haver encontrado um chefe por demais violento e irritadiço. Depois, colocou-se sob a orientação de um fabricante de arcas preciosas, de quem se afastou, em poucos dias, a pretexto de se tratar de criatura desalmada e cruel.

"E, assim, de tarefa em tarefa, de oficina em oficina, o aspirante ao Céu dizia, invariavelmente, que lhe não era possível incorporar as próprias energias à experiência terrestre, por encontrar, em toda parte, o erro, a maldade e a perseguição nos que o dirigiam, até que a morte veio buscá-lo à presença dos anjos do Senhor.

"Com surpresa, porém, não os encontrou tão sorridentes quanto aguardava. Um deles avançou, triste, e indagou:

"'Amigo, por que não te preparaste ante os imperativos do Céu?'

"O interpelado, que identificava a própria inferioridade nas sombras em que se envolvia, clamou em pranto que só havia encontrado exigência e dureza nos condutores da luta humana.

"O mensageiro, no entanto, observou, com amargura:

"'O Pai chamou-te a servir em teu próprio proveito, e não a julgar. Cada homem dará conta de si mesmo a Deus. Ninguém escapará à Justiça divina que se pronuncia no momento preciso. Como pudeste esquecer tão simples verdade dentro da vida? O malho bate a bigorna, o ferreiro conduz o malho, o comerciante examina a obra do ferreiro, o povo dá opinião sobre o negociante, e o Senhor, no conjunto, analisa e julga a todos. Se fugiste a pequenos serviços do mundo, sob a alegação de que os outros eram incapazes e indignos da direção, como poderás entender o ministério celestial?'

"E o trabalhador inconstante passou às consequências de sua queda impensada."

Jesus fez uma pausa e concluiu:

— Quem estiver sob o domínio de pessoas enérgicas e endurecidas na disciplina, excelentes resultados conseguirá recolher se souber e puder aproveitar-lhes a aspereza, inspirando-se na madeira bruta ao contato da plaina benfeitora. Abençoada seja a mão que educa e corrige, mas bem-aventurado seja aquele que se deixa aperfeiçoar ao seu toque de renovação e aprimoramento, porque os mestres do mundo sempre reclamam a lição de outros mestres, mas a obra do bem, quando realizada para todos, permanece eternamente.

6
Os instrumentos da perfeição

Naquela noite, Simão Pedro trazia à conversação o espírito ralado por extremo desgosto.

Agastara-se com parentes descriteriosos e rudes.

Velho tio acusara-o de dilapidador dos bens da família, e um primo ameaçara esbofeteá-lo na via pública.

Guardava, por isso, o semblante carregado e austero.

Quando o Mestre leu algumas frases dos Sagrados Escritos, o pescador desabafou. Descreveu o conflito com a parentela, e Jesus o ouviu em silêncio.

Ao término do longo relatório afetivo, indagou o Senhor:

— E que fizeste, Simão, ante as arremetidas dos familiares incompreensivos?

— Sem dúvida, reagi como devia! — respondeu o Apóstolo veemente. — Coloquei cada um no lugar próprio. Anunciei, sem rebuços, as más qualidades de que são portadores. Meu tio é raro exemplar de sovinice, e meu primo é mentiroso contumaz.

Provei, perante numerosa assistência, que ambos são hipócritas, e não me arrependi do que fiz.

O Mestre refletiu por minutos longos e falou compassivo:

— Pedro, que faz um carpinteiro na construção de uma casa?

— Naturalmente, trabalha — redarguiu o interpelado, irritadiço.

— Com quê? — tornou o Amigo celeste, bem-humorado.

— Usando ferramentas.

Após a resposta breve de Simão, o Cristo continuou:

— As pessoas com as quais nascemos e vivemos na Terra são os primeiros e mais importantes instrumentos que recebemos do Pai, para a edificação do Reino do Céu em nós mesmos. Quando falhamos no aproveitamento deles, que constituem elementos de nossa melhoria, é quase impossível triunfar com recursos alheios, porque o Pai nos concede os problemas da vida, de acordo com a nossa capacidade de lhes dar solução. A ave é obrigada a fazer o ninho, mas não se lhe reclama outro serviço. A ovelha dará lã ao pastor; no entanto, ninguém lhe exige o agasalho pronto. Ao homem foram concedidas outras tarefas, quais sejam as do amor e da humildade, na ação inteligente e constante para o bem comum, a fim de que a paz e a felicidade não sejam mitos na Terra. Os parentes próximos, na maioria das vezes, são o martelo ou o serrote que podemos utilizar em benefício da construção do templo vivo e sublime, por intermédio do qual o Céu se manifestará em nossa alma. Enquanto o marceneiro usa as suas ferramentas, por fora, cabe-nos aproveitar as nossas, por dentro. Em todas as ocasiões, o ignorante representa para nós um campo de benemerência espiritual; o mau é desafio que nos põe a bondade à prova; o ingrato é um meio de exercitarmos o perdão; o doente é uma lição à nossa capacidade de socorrer. Aquele que bem se conduz, em nome do Pai, junto de familiares endurecidos ou indiferentes, prepara-se com rapidez para a glória do serviço à

Humanidade, porque, se a paciência aprimora a vida, o tempo tudo transforma.

Calou-se Jesus e, talvez porque Pedro tivesse ainda os olhos indagadores, acrescentou serenamente:

— Se não ajudamos ao necessitado de perto, como auxiliaremos os aflitos de longe? Se não amamos o irmão que respira conosco os mesmos ares, como nos consagraremos ao Pai que se encontra no Céu?

Depois dessas perguntas, pairou na modesta sala de Cafarnaum expressivo silêncio que ninguém ousou interromper.

7
O maior servidor

Presente à reunião familiar, Filipe, em dado instante, perguntou ao divino Mestre:

— Senhor, qual é o maior servidor do Pai entre os homens na Terra?

Jesus refletiu alguns minutos e contou:

— Grande multidão se congregava em extenso campo, quando aí estacionou famoso guerreiro carregado de espadas e medalhas, que passou a dar lições de tática militar, concitando os circunstantes ao aprendizado da defesa. O povo começou a fazer exercícios laboriosos, dando saltos e entregando-se a perigosas corridas, sem proveito real; todavia, continuou como dantes, sem rumo e sem júbilo, perdendo muitos jovens nas atividades preparatórias de guerra provável. Logo depois, apareceu na mesma região um grande político, com pesada bagagem de códigos, e dividiu a massa em vários partidos, declarando-se os moços contra os velhos, os lares pobres contra os ricos, os servos contra os mordomos, e, não obstante a sementeira de benefícios materiais introduzidos na zona pela competição dos grupos entre si, o político seguiu adiante, deixando escuros espinheiros de ódio, desengano e discórdia entre os seus colaboradores. Depois dele, surgiu um filósofo, sobraçando volumosos alfarrábios e dividiu o povo em variadas escolas de crença que, em breve, propagavam infrutíferas discussões nos círculos de toda gente; a multidão duvidou de tudo, até mesmo da existência de si própria. A Filosofia, sem dúvida, apresentava singulares vantagens, destacando-se a do estímulo ao pensamento, mas as perturbações de que se fazia acompanhar eram das mais lastimáveis, legando o filósofo muitas indagações inúteis aos cérebros menos aptos ao esforço de elevação. Em seguida, compareceu um sacerdote, munido de roupagens e símbolos, que forneceu muitas regras de adoração ao Pai. O povo aprendeu a dobrar os joelhos, a lavar-se e a suplicar a proteção divina em horas certas. Entretanto, todos os problemas fundamentais da comunidade permaneceram sem alteração.

"No extenso domínio, não havia diretrizes ao trabalho, nem ânimo consciente, nem valor, nem alegria. A doença e a morte, a necessidade e a ignorância eram fantasmas de toda a gente.

"Certo dia, porém, apareceu ali um homem simples. Não trazia armas, nem escrituras, nem discussões, nem imagens, mas pelo sorriso espontâneo revelava um coração cheio de boa vontade, guiando as mãos operosas. Não pregava doutrinas espetacularmente; todavia, nos gestos de bondade pura e constante, rendia culto sincero ao Todo-Poderoso. Começou a evidenciar-se, lavrando uma nesga do campo e adornando-a de flores e frutos preciosos. Conversava com os seus companheiros de luta, aproveitando as horas no ensinamento fraterno e edificante, e transmitia suas experiências a todos os que se propusessem ouvi-lo. Aperfeiçoou a madeira, plantou árvores benfeitoras, construiu casas e instalou uma escola modesta. Em breve, ao redor dele, viçavam a saúde e a paz, a fraternidade e as bênçãos do serviço, a prosperidade e o contentamento de viver. Com o espírito de trabalho e educação que ele difundia, a defesa era boa, a política ajudava, a Filosofia era preciosa e o sacerdócio era útil, porque todas as ações, no campo, permaneciam agora presididas pelo santo imperativo da execução do dever pessoal no bem de todos."

Calou-se o Cristo, mas a assistência reduzida não ousou qualquer indagação.

Após contemplar o horizonte longínquo, em longos instantes de pensamento mudo, o Mestre terminou:

— Em verdade, há muitos trabalhadores no mundo que merecem a bênção do Céu pelo bem que proporcionam ao corpo e à mente das criaturas, mas aquele que educa o Espírito eterno, ensinando e servindo, paira acima de todos.

8
O príncipe sensato

Comentavam os apóstolos, entre si, qual a conduta mais aconselhável diante do Todo-Poderoso, quando o Mestre narrou com brandura:

— Certo rei, senhor de imensos domínios, desejando engrandecer o espírito dos filhos para conferir-lhes herança condigna, conduziu-os a extenso vale verdoengo e rico de seu enorme império e confiou a cada um determinada fazenda, que deviam preservar e enriquecer pelo trabalho incessante. O pai desejava deles a coroa da compreensão, do amor e da sabedoria, somente conquistável por meio da educação e do serviço, e, como devia utilizar material transitório, deu-lhes tempo marcado para as construções que lhes seriam indispensáveis, mais tarde, aos serviços de elevação. Assim procedia, porque o vale era sujeito a modificações e chegaria um momento em que arrasadora tempestade visitaria a região, guardando-se em segurança apenas aqueles que houvessem erguido forte reduto. Assim que o soberano se retirou, os filhos jovens, seguidos pelas numerosas tribos que os acompanhavam, descansaram longamente, deslumbrados com a beleza das planícies banhadas de sol. Quando se levantaram para a tarefa, entraram em compridas conversações com respeito às leis de solidariedade, justiça e defesa, cada qual a exigir especiais deferências dos outros. Quase ninguém cuidava da aplicação dos regulamentos estabelecidos pelo governo central. Os príncipes e seus afeiçoados, em maioria, por questões de conforto pessoal, esmeravam-se em procurar recursos sutis com que pudessem sonegar, sem escândalos visíveis entre si, os princípios a que haviam jurado obediência e respeito. E tentando enganar o magnânimo pai, por meio da bajulação, em vez de honrá-lo com o trabalho sadio, internaram-se em complicadas contendas a respeito de problemas íntimos do soberano.

"Gastaram anos a fio, discutindo-lhe a apresentação pessoal. Insistiam alguns que ele revelava no rosto a brancura do lírio, enquanto outros perseveravam em proclamar-lhe a cor bronzeada, idêntica à de muitos cativos de Sídon. Muitos afirmavam que ele possuía um corpo de gigante e não poucos exigiam fosse ele um anjo coroado de estrelas.

"Ao passo que as rixas verbais se multiplicavam, o tempo ia se esgotando e os insetos destruidores, infinitamente reproduzidos, invadiam as terras, aniquilando grande parte dos recursos preciosos. Detritos desciam de serras próximas e faziam compacto acervo de monturo naquelas regiões, enquanto os príncipes levianos, inteiramente distraídos das obrigações fundamentais que lhes cabiam, se engalfinhavam, a todo instante, a propósito de ninharias.

"Houve, porém, um filho bem-avisado que anotou os decretos paternais e cumpriu-os. Jamais esqueceu os conselhos do rei e, quanto lhe era possível, os estendia aos companheiros mais próximos. Utilizou grande número de horas que as leis vigentes lhe concediam ao repouso e construiu sólido abrigo que lhe garantiria a tranquilidade no futuro, semeando beleza e alegria em toda a fazenda que o genitor lhe cedera por empréstimo.

"E assim, quando a tormenta surgiu, renovadora e violenta, o príncipe sensato que amara o monarca e servira-o, desvelado e carinhoso, estendendo-lhe as lições libertadoras, pela fraternidade pura, e cumprindo-lhe a vontade justa e bondosa, pelo trabalho de cada dia, com as aflições construtivas da alma e com o suor do rosto, foi naturalmente amparado num santuário de paz e segurança que os seus irmãos discutidores não encontraram."

Doce silêncio pairou na sala singela...

Decorridos alguns minutos, o Mestre fixou os olhos lúcidos na pequena assembleia e concluiu:

— Quem muito analisa, sem espírito de serviço, pode viciar-se facilmente nos abusos da palavra, mas ninguém se arrependerá de haver ensinado o bem e trabalhado com as próprias forças, em nome do Pai celestial, no bendito caminho da vida.

9
O mensageiro do amor

Falava-se, na reunião, a respeito da preponderância dos sábios na Terra, quando Jesus tomou a palavra e contou sereno e simples:
— Há muitos anos, quando o mundo perigava em calamitosa crise de ignorância e perversidade, o poderoso Pai enviou-lhe um mensageiro da Ciência, com a missão de entregar-lhe gloriosa mensagem de vida eterna. Tomando forma, nos círculos da carne, o esclarecido obreiro fez-se professor e, sumamente interessado em letras, apaixonou-se exclusivamente pelas obras da inteligência, afastando-se, enojado, da multidão inconsciente e declarando que vivia numa vanguarda luminosa, inacessível à compreensão das pessoas comuns. Observando-o incapaz de atender aos compromissos assumidos, o Senhor compassivo providenciou a viagem de outro portador da Ciência, que, decorrido algum tempo, transformou-se em médico admirado. O novo arauto da Providência refugiou-se numa sala de ervas e beberagens, interessando-se tão somente pelo contato com

enfermos importantes, habilitados à concessão de grandes recompensas, afirmando que a plebe era demasiado mesquinha para cativar-lhe a atenção. O Todo-Bondoso determinou, então, a vinda de outro emissário da Ciência, que se converteu em guerreiro célebre. Usou a espada do cálculo com mestria, pôs-se à ilharga de homens astuciosos e vingativos e, afastando-se dos humildes e dos pobres, afirmava que a única finalidade do povo era a de salientar a glória dos dominadores sanguinolentos. Contristado com tanto insucesso, o Senhor supremo expediu outro missionário da Ciência, que, em breve, fez-se primoroso artista. Isolou-se nos salões ricos e fartos, compondo música que embriagasse de prazer o coração dos homens provisoriamente felizes, e afiançou que o populacho não lhe seduzia a sensibilidade que ele mesmo acreditava excessivamente avançada para o seu tempo.

"Foi, então, que o excelso Pai, preocupado com tantas negações, ordenou a vinda de um mensageiro de amor aos homens.

"Esse outro enviado enxergou todos os quadros da Terra com imensa piedade. Compadeceu-se do professor, do médico, do guerreiro e do artista, tanto quanto se comoveu ante a desventura e a selvageria da multidão, e, decidido a trabalhar em nome de Deus, transformou-se no servo diligente de todos. Passou a agir em benefício geral e, identificado com o povo a que viera servir, sabia desculpar infinitamente e repetir mil vezes o mesmo esforço ou a mesma lição. Se era humilhado ou perseguido, buscava compreender na ofensa um desafio benéfico à sua capacidade de desdobrar-se na ação regeneradora, para testemunhar reconhecimento à confiança do Pai que o enviara. Por amar sem reservas os seus irmãos de luta, em muitas situações foi compelido a orar e pedir o socorro do Céu, perante as garras da calúnia e do sarcasmo; entretanto, entendia, nas mais baixas manifestações da natureza humana, dobrados motivos para consagrar-se, com mais calor, à melhoria dos companheiros animalizados, que ainda desconheciam a grandeza e a sublimidade do Pai benevolente que lhes dera o ser.

"Foi assim, fazendo-se o último de todos, que conseguiu acender a luz da fé renovadora e da bondade pura no coração das criaturas terrestres, elevando-as a mais alto nível, com plena vitória na divina missão de que fora investido."

Houve ligeira pausa na palavra doce do Messias e, ante a quietude que se fizera espontânea no ruidoso ambiente de minutos antes, concluiu Ele, com expressivo acento na voz:

— Cultura e santificação representam forças inseparáveis da glória espiritual. A sabedoria e o amor são as duas asas dos anjos que alcançaram o Trono divino, mas, em toda parte, quem ama segue à frente daquele que simplesmente sabe.

10
O juiz reformado

Como houvesse o Senhor recomendado nas instruções do dia muita cautela no julgar, a conversação em casa de Pedro se desdobrava em derredor do mesmo tema.

— É difícil não criticar — comentava Mateus com lealdade —, porque, a todo instante, o homem de mediana educação é compelido a emitir pareceres na atividade comum.

— Sim — concordava André, muito franco —, não é fácil agir com acerto, sem analisar detidamente.

Depois de vários depoimentos acerca do direito de observar e corrigir, interferiu Jesus sem afetação:

— Inegavelmente, homem algum poderá cumprir o mandato que lhe cabe, no plano divino da vida, sem vigiar no caminho em que se movimenta, sob os princípios da retidão. Todavia, é necessário não inclinar o espírito aos desvarios do sentimento, para não sermos vitimados por nós mesmos. Seremos julgados pela medida que aplicarmos aos outros. O rigor responde ao rigor; a paciência, à paciência; a bondade, à bondade...

E, transcorridos alguns instantes, contou:

— Quando Israel vivia sob o governo dos grandes juízes, existiu um magistrado austero e violento, em destacada cidade do povo escolhido, que imprimiu o terror e a crueldade em todos os serventuários sob a sua orientação. Abusando dos poderes que a Lei lhe conferia, criou ordenações tirânicas para a punição das mínimas faltas. Multiplicou infinitamente o número dos soldados, edificou muitos cárceres e inventou variados instrumentos de flagelação.

"O povo, asfixiado por estranhas proibições, devia movimentar-se debaixo de severa fiscalização, qual se fora rebanho de bravios animais. Trabalharia, descansaria e adoraria o Senhor, em horas rigorosamente determinadas pela autoridade, sob pena de sofrer humilhantes castigos, nas prisões, com pesadas multas de toda espécie.

"Se bem mandava o juiz, melhor agiam os subordinados, cheios de natural malvadez.

"Assim foi que, certa feita, dirigindo-se o magistrado, alta noite, à casa de um filho enfermo, foi aprisionado, sem qualquer consideração, por um grupo de guardas bêbedos e inconscientes que o conduziram à escura enxovia que ele mesmo havia inaugurado semanas antes. Não lhe valeram a apresentação do nome e as honrosas insígnias de que se revestia. Tomado por temível ladrão, foi manietado, despojado dos bens que trazia e espancado sem piedade, afirmando os sentinelas que assim procediam, obedecendo às instruções do grande juiz, que era ele próprio.

"Somente no dia imediato foi desfeito o equívoco, quando o infeliz homem público já havia sofrido a aplicação das penas que a sua autoridade estabelecera para os outros.

"O legislador atribulado reconheceu, então, que era perigoso transmitir o poder a subalternos brutalizados e ignorantes, percebendo que a justiça construtiva e santificante é aquela que retifica ajudando e educando, na preparação do reinado do amor entre os homens.

"Desde a singular ocorrência, a cidade adquiriu outro modo de ser, porque o juiz reformado, embora prosseguisse atento às funções que lhe competiam, ergueu, sobre o tribunal, em benefício de todos, o coração de pai compreensivo e amoroso."

Lá fora, brilhavam estrelas, retratadas nas águas serenas do grande lago. Depois de longa pausa, o Mestre concluiu:

— Somente aquele que aprendeu intensamente com a vida, estudando e servindo, suando e chorando para sustentar o bem, entre os espinhos da renúncia e as flores do amor, estará habilitado a exercer a justiça, em nome do Pai.

11
O santo desiludido

Inclinara-se a palestra, no lar humilde de Cafarnaum, para os assuntos alusivos à devoção, quando o Mestre narrou com significativo tom de voz:

— Um venerado devoto retirou-se, em definitivo, para uma gruta isolada, em plena floresta, a pretexto de servir a Deus. Ali vivia, entre orações e pensamentos que julgava irrepreensíveis, e o povo, crendo tratar-se de um santo messias, passou a reverenciá-lo com intraduzível respeito. Se alguém pretendia efetuar qualquer negócio do mundo, dava-se pressa em buscar-lhe o parecer. Fascinado pela alheia consideração, o crente, estagnado na adoração sem trabalho, supunha dever situar toda gente em seu modo de ser, com a respeitável desculpa de conquistar o paraíso.

"Se um homem ativo e de boa-fé lhe trazia à apreciação algum plano de serviço comercial, ponderava, escandalizado:

"'É um erro. Apague a sede de lucro que lhe ferve nas veias. Isso é ambição criminosa. Venha orar e esquecer a cobiça.'

"Se esse ou aquele jovem lhe rogava opinião sobre o casamento, clamava aflito:

"'É disparate. A carne está submetendo o seu espírito. Isso é luxúria. Venha orar e consumir o pecado.'

"Quando um ou outro companheiro lhe implorava conselho acerca de algum elevado encargo na administração pública, exclamava compungido:

"'É um desastre. Afaste-se da paixão pelo poder. Isso é vaidade e orgulho. Venha orar e vencer os maus pensamentos.'

"Surgindo pessoa de bons propósitos, reclamando-lhe a opinião quanto a alguma festa de fraternidade em projeto, objetava irritadiço:

"'É uma calamidade. O júbilo do povo é desregramento. Fuja à desordem. Venha orar, subtraindo-se à tentação.'

"E assim, cada consulente, em vista da imensa autoridade que o santo desfrutava, entristecia-se de maneira irremediável e passava a partilhar-lhe os ócios na soledade, em absoluta paralisia da alma.

"O tempo, todavia, que tudo transforma, trouxe ao preguiçoso adorador a morte do corpo físico.

"Todos os seguidores dele o julgaram arrebatado ao Céu, e ele mesmo acreditou que, do sepulcro, seguiria direto ao paraíso. Com inexcedível assombro, porém, foi conduzido por forças das trevas a terrível purgatório de assassinos. Em pranto desesperado, indagou, à vista de semelhante e inesperada aflição, dos motivos que lhe haviam sitiado o espírito em tão pavoroso e infernal torvelinho, sendo esclarecido que, se não fora homicida vulgar na Terra, era ali identificado como matador da coragem e da esperança em centenas de irmãos em Humanidade."

Silenciou Jesus, mas João, muito admirado, considerou:

— Mestre, jamais poderia supor que a devoção excessiva conduzisse alguém a infortúnio tão grande!

O Cristo, porém, respondeu imperturbável:

— Plantemos a crença e a confiança entre os homens, entendendo, entretanto, que cada criatura tem o caminho que lhe é próprio. A fé sem obras é uma lâmpada apagada. Nunca nos esqueçamos de que o ato de desanimar os outros, nas santas aventuras do bem, é um dos maiores pecados diante do poderoso e compassivo Senhor.

12

Os descobridores do homem

Finda a leitura de alguns trechos da história de Jó, a palestra na residência de Simão versou acerca da fidelidade da alma ao Pai Todo-Bondoso.

Diante da vibração de alegria em todos os semblantes, Jesus contou bem-humorado:

— Apareceu na velha cidade de Nínive um homem tão profundamente consagrado a Deus que todos os seus contemporâneos, por isso, lhe rendiam especial louvor. Tão rasgados eram os elogios à sua conduta que as informações subiram ao Trono do Eterno. E, porque vários arcanjos pedissem ao Todo-Poderoso a transferência dele para o Céu, determinou a divina Sabedoria fosse procurado, na selva da carne, a fim de verificar-se, com exatidão, se estava efetivamente preparado para a sublime investidura.

"Para isso, os anjos educadores, a serviço do Altíssimo, enviaram à Terra quatro rudes descobridores de homens santificados — a Necessidade, o Dinheiro, o Poder e a Cólera desceram, cada qual a seu tempo, para efetuar as provas indispensáveis.

"A Necessidade que, em casos desses, sempre surge em primeiro lugar, aproximou-se do grande crente e se fez sentir de vários modos, dando-lhe privações, obstáculos, doenças e abandono de entes amados; entretanto, o devoto, robusto na confiança, compreendeu na mensageira uma operária celeste e venceu-a, revelando-se cada vez mais firme nas virtudes de que se tornara modelo.

"Chegou, então, a vez do Dinheiro. Acercou-se do homem e conferiu-lhe mesa lauta, recursos imensos e considerações sociais de toda sorte, mas o previdente aprendiz lembrou-se da caridade e, afastando-se das insinuações dos prazeres fáceis, distribuiu moedas e posses em multiplicadas obras do bem, conquistando o equilíbrio financeiro e a veneração geral.

"Vitorioso na segunda prova, veio o Poder, que o investiu de larga e brilhante autoridade. O devoto, contudo, recordou que a vida, com todas as honrarias e dons, é simples empréstimo da Providência celestial e usou o Poder com brandura, educando quantos o rodeavam, por intermédio da instrução e do trabalho bem orientados, recebendo, em troca, a obediência e a admiração do povo entre o qual nascera.

"Triunfante e feliz, o crente foi visitado, enfim, pela Cólera. De maneira a sondar-lhe a posição espiritual, a instrutora invisível valeu-se dum servo fraco e ignorante e tocou-lhe o amor-próprio, falando, com manifesta desconsideração, em assunto privado que, embora expressão da verdade, constituía certo desrespeito a qualquer pessoa de sua estatura social e indiscutível dignidade.

"O devoto não resistiu. Intensa onda sanguínea lhe surgiu no rosto congesto e ele se desfez em palavras contundentes, ferindo familiares e servidores e prejudicando as próprias obras. Somente depois de muitos dias, conseguiu restaurar a tranquilidade, quando, porém, a Cólera já lhe havia desnudado o íntimo, revelando-lhe o imperativo de maior aperfeiçoamento e notificando ao Senhor que aquele filho, matriculado na escola de iluminação, ainda requeria muito tempo na experiência purificadora, para situar-se nas vibrações gloriosas da vida superior."

Curiosidade geral transparecia do semblante de todos os presentes, que não ousaram trazer à baila qualquer nova ponderação. Estampando no rosto sereno sorriso, o Cristo terminou:

— Quando o homem recebe todas as informações de que necessita para elevar-se ao Céu, determina o Pai amoroso seja ele procurado pelas potências educadoras. A maioria dos crentes perde a boa posição, que aparentemente desfrutavam, nos exercícios da Necessidade, que lhes examina a resistência moral; muitos voltam estragados das sugestões do Dinheiro, que lhes observa o desprendimento dos objetivos inferiores e a capacidade de agir na sementeira do bem; alguns caem, desastradamente, pelas insinuações do Poder, que lhes experimenta a competência para educar e salvar os companheiros da jornada humana, e raríssimos são aqueles que vencem a visita inesperada da Cólera, que vem ao círculo do homem anotar-lhe a diminuição do amor-próprio, sem a qual o espírito não reflete o brilho e a grandeza do Criador, nos campos da vida eterna.

O Mestre calou-se, sorriu compassivamente, de novo, e, porque ninguém retomasse a palavra, a reunião da noite foi encerrada.

13
O revolucionário sincero

No curso das elucidações domésticas, Judas conversava, entusiástico, sobre as anomalias na governança do povo e, exaltado, dizia das probabilidades de revolução em Jerusalém, quando o Senhor comentou muito calmo:

— Um rei antigo era considerado cruel pelo povo de sua pátria, a tal ponto que o principal dos profetas do reino foi convidado a chefiar uma rebelião de grande alcance, que o arrancasse do trono.

"O profeta não acreditou, de início, nas denúncias populares, mas a multidão insistia. 'O rei era duro de coração, era mau senhor, perseguia, usurpava e flagelava os vassalos em todas as direções', clamava-se desabridamente.

"Foi assim que o condutor de boa-fé se inflamou, igualmente, e aceitou a ideia de uma revolução por único remédio natural e, por isso, articulou-a em silêncio, com algumas centenas de companheiros decididos e corajosos. Na véspera do cometimento, contudo, como possuía segura confiança em Deus, subiu ao topo dum monte e rogou a assistência divina com tamanho fervor que um anjo das Alturas lhe foi enviado para confabulação de espírito a espírito.

"À frente do emissário sublime, o profeta acusou o soberano, asseverando quanto sabia de oitiva e suplicando aprovação celeste ao plano de revolta renovadora.

"O mensageiro anotou-lhe a sinceridade, escutou-o com paciência e esclareceu: 'Em nome do supremo Senhor, o projeto ficará aprovado, com uma condição. Conviverás com o rei, durante cem dias consecutivos, em seu próprio palácio, na posição de servo humilde e fiel, e, findo esse tempo, se a tua consciência perseverar no mesmo propósito, então lhe destruirás o trono, com o nosso apoio.'

"O chefe honesto aceitou a proposta e cumpriu a determinação.

"Simples e sincero, dirigiu-se à casa real, onde sempre havia acesso aos trabalhos de limpeza, e situou-se na função de apagado servidor; no entanto, tão logo se colocou a serviço do monarca, reparou que ele nunca dispunha de tempo para as menores obrigações alusivas ao gosto de viver. Levantava-se rodeado de conselheiros e ministros impertinentes, era atormentado por centenas de reclamações de hora em hora. Na qualidade de pai, era privado da ternura dos filhos; na condição de esposo, vivia distante da companheira. Além disso, era obrigado, frequentemente, a perder o equilíbrio da saúde física, em vista de banquetes e cerimônias, excessivamente repetidos, nos quais era compelido a ouvir toda sorte de mentiras da boca de súditos bajuladores e ingratos. Nunca dormia, nem se alimentava em horas certas, e, onde estivesse, era constrangido a vigiar as próprias palavras, sendo vedada ao seu espírito qualquer expressão mais demorada de vida que não fosse o artifício a sufocar-lhe o coração.

"O orientador da massa popular reconheceu que o imperante mais se assemelhava a um escravo, duramente condenado a servir sem repouso, em plena solidão espiritual, porquanto o rei não gozava nem mesmo a facilidade de cultivar a comunhão com Deus, por intermédio da prece comum.

"Findo o prazo estabelecido, o profeta, radicalmente transformado, regressou ao monte para atender ao compromisso assumido e, notando que o anjo lhe aparecia no curso das orações, implorou-lhe misericórdia para o rei, de quem ele agora se compadecia sinceramente. Em seguida, congregou o povo e notificou a todos os companheiros de ideal que o soberano era, talvez, o homem mais torturado em todo o reino e que, em vez da suspirada insubmissão, competia-lhes, a cada um, maior entendimento e mais trabalho construtivo, no lugar que lhes era próprio dentro do país, a fim de que o monarca, de si mesmo tão escravizado e tão desdito, pudesse cumprir sem desastres a elevada missão de que fora investido.

"E, assim, a rebeldia foi convertida em compreensão e serviço."

Judas, desapontado, parecia ensaiar alguma ponderação irreverente, mas o Mestre divino antecipou-se a ele, falando incisivo:

— A revolução é sempre o engano trágico daqueles que desejam arrebatar a outrem o cetro do governo. Quando cada servidor entende o dever que lhe cabe no plano da vida, não há disposição para a indisciplina, nem tempo para a insubmissão.

14
A coroa e as asas

Comentava-se, na reunião, as glórias do saber, quando o Cristo, para ilustrar a palestra, contou despretensioso:
— Um homem amante da verdade, informando-se de que o aprimoramento intelectual conduz à divina sabedoria, atirou-se à elevação da montanha da Ciência, empenhando todas as forças que possuía no decisivo cometimento. A vereda era sombria qual obscuro labirinto; contudo, o esforçado lidador, olvidando dificuldades e perigos, avançava sempre, trocando de vestuário para melhor acomodar-se às exigências da marcha. De tempos em tempos, lançava à margem da estrada uma túnica que se fizera estreita ou uma alpercata que se lhe afigurava inservível, procurando indumentária nova, até que, um dia, depois de muitos anos, alcançou a desejada culminância, onde um representante de Deus lhe surgiu ao encontro.

"O emissário cumprimentou-o, abraçou-o e revestiu-lhe a fronte com deslumbrante coroa de luz. Todavia, quando o vencedor do conhecimento quis prosseguir adiante, na direção do paraíso, recomendou-lhe o mensageiro que voltasse atrás dos próprios passos, a ver o trilho percorrido, e que, de sua atitude na revisão do caminho, dependeria a concessão de asas com que lhe seria possível voar ao encontro do Pai eterno.

"O interessado regressou, mas, agora, auxiliado pela fulgurante auréola de que fora investido, podia contemplar todos os ângulos da senda, antes inextricável ao seu olhar.

"Não conteve o riso diante das estranhas roupagens de que os viajadores da retaguarda se vestiam.

"Aqui, notava uma túnica rota; acolá, uma sandália extravagante. Peregrinos inúmeros se apoiavam em bordões quebradiços, enquanto outros se amparavam em capas misérrimas; entretanto, cada qual, com impertinência infantil, marchava senhor de si, como se envergasse a roupa mais valiosa do mundo.

"O vencedor da Ciência não suportou as impressões que o quadro lhe causava e abriu-se em frases de zombaria, reprovando acremente a ignorância de quantos seguiam em vestes ridículas ou inadequadas. Gritou, condenou e fez apodos contundentes. Dirigiu-se à comunidade dos viajantes com tamanha ironia que muitos renunciaram à subida, retornando à inércia da planície vasta.

"Após amaldiçoar a todos, indistintamente, voltou o herói coroado ao cume do monte, na expectativa de partir sem detença ao encontro do Pai, mas o anjo, muito triste, explicou-lhe que a roupagem dos outros, que lhe provocara tanto sarcasmo inútil, era aquela mesma de que ele se servira para elevar-se, ao tempo em que era frágil e semicego, e que as asas de luz, com que deveria erguer-se ao Trono divino, somente lhe seriam dadas quando edificasse o amor no imo do coração. Faltavam-lhe piedade e entendimento; que ele voltasse demoradamente ao caminho e auxiliasse os semelhantes, sem o que jamais conseguiria equilibrar-se no Céu."

Alguns minutos de silêncio seguiram-se indevassáveis...

O Mestre, todavia, imprimindo significativa ênfase às palavras, terminou:

— Há muitas almas, na Terra, ostentando a luminosa coroa da Ciência, mas de coração adormecido na impiedade, salientando-se no sarcasmo pueril e na censura indébita. Envenenadas pela incompreensão, exigentes e cruéis, fulminam os companheiros mais fracos no entendimento ou na cultura, em vez de estender-lhes as mãos fraternais, reconhecendo que também já foram assim, tateantes e imperfeitos... Enquanto, porém, não se decidirem a ajudar o irmão menos esclarecido e menos afortunado, acolhendo-o no próprio espírito, com sinceridade e devotamento, não receberão as asas com que lhes será lícito partir na direção do Céu.

15
O ministro sábio

Mateus discorria, solene, sobre a missão dos que dirigem a massa popular, especificando deveres dos administradores e dificuldades dos servos.

A conversação avançava pela noite adentro, quando Jesus, notando que os aprendizes lhe esperavam a palavra amiga, narrou sorridente:

— Um reino existia, em cuja intimidade apareceu um grande partido de adversários do soberano que o governava. Pouco a pouco, o espírito de rebeldia cresceu em certas famílias revoltadas e, a breves semanas, toda uma província em desespero se ergueu contra o monarca, entravando-lhe as ações.

"Naturalmente preocupado, o rei convidou um hábil juiz para os encargos de primeiro ministro do país, desejoso de apagar a discórdia, mas o juiz começou a criar quantidade enorme de leis e documentos escritos que não chegaram a operar a mínima alteração.

"Desiludido, o imperante substituiu-o por um doutrinador famoso. O tribuno, porém, conduzido à elevada posição, desfez-se em discursos veementes e preciosos que não modificaram a perturbação reinante.

"Continuavam os inimigos internos solapando o prestígio nacional, quando o soberano pediu o socorro de um sacerdote que, situado em tão nobre posto, amaldiçoou, de imediato, os elementos contrários ao rei, piorando o problema.

"Desencantado, o monarca trouxe um médico à direção dos negócios gerais, mas tão logo se viu em palácio, partilhando as honras públicas, o novo ministro afirmou, para conquistar o favor régio, que o partido de adversários da Coroa se constituía de doentes mentais, e fez disso propaganda tão ruinosa que a indisciplina se tornou mais audaciosa e a revolta mais desesperada.

"Pressentindo o trono em perigo, o soberano substituiu o médico por um general célebre, que tomou providência drástica, arregimentando forças armadas nas regiões fiéis e mobilizando-as contra os irmãos insubmissos. Estabeleceu-se a guerra civil. E quando a morte começou a ceifar vidas inúmeras, inclusive a do temido lidador militar que se convertera em primeiro ministro do reino, o imperante, de alma confrangida, convidou um sábio a ocupar-se do posto então vazio. Esse chegou à administração, meditou algum tempo e deu início a novas atividades. Não criou novas leis, não pronunciou discursos, não censurou os insurretos, não perdeu tempo em zombaria, nem estimulou qualquer cultura de vingança.

"Dirigiu-se em pessoa à região conflagrada, a fim de observar-lhe as necessidades.

"Reparou, aí, a existência de inúmeras criaturas sem teto, sem trabalho e sem instrução, e erigiu casas, criou oficinas, abriu estradas e improvisou escolas, incentivando o serviço e a educação, lutando, com valioso espírito de entendimento e fraternidade, contra a preguiça e a ignorância.

"Não transcorreu muito tempo e todas as discórdias do reino desapareceram, porque a ação concreta do bem eliminara toda a desconfiança, toda a dureza e indecisão dos espíritos enfermiços e inconformados."

Mateus contemplava o Senhor embevecidamente, deliciando-se com as ideias de bondade salvadora que enunciara, e Jesus, respondendo-lhe à atenção com luminoso sorriso, acrescentou para finalizar:

— O ódio pode atear muito incêndio de discórdia no mundo, mas nenhuma teoria de salvação será realmente valiosa sem o justo benefício aos espíritos que a maldade ou a rebelião desequilibraram. Para que o bem possa reinar entre os homens, há de ser uma realidade positiva no campo do mal, tanto quanto a luz há de surgir pura e viva, a fim de expulsar as trevas.

16
O auxílio mútuo

Diante dos companheiros, André leu expressivo trecho de Isaías e falou, comovido, sobre as necessidades da salvação.

Comentou Mateus os aspectos menos agradáveis do trabalho e Filipe opinou que é sempre muito difícil atender à própria situação, quando nos consagramos ao socorro dos outros.

Jesus ouvia os apóstolos em silêncio e, quando as discussões, em derredor, se enfraqueceram, comentou, muito simples:

— Em zona montanhosa, através de região deserta, caminhavam dois velhos amigos, ambos enfermos, cada qual a defender-se, quanto possível, contra os golpes do ar gelado, quando foram surpreendidos por uma criança semimorta, na estrada, ao sabor da ventania de inverno.

"Um deles fixou o singular achado e clamou irritadiço:

"'Não perderei tempo. A hora exige cuidado para comigo mesmo. Sigamos em frente.'

"O outro, porém, mais piedoso, considerou:

"'Amigo, salvemos o pequenino. É nosso irmão em Humanidade.'

"'Não posso — disse o companheiro, endurecido —, sinto-me cansado e doente. Este desconhecido seria um peso insuportável. Temos frio e tempestade. Precisamos ganhar a aldeia próxima sem perda de minutos.'

"E avançou para diante em largas passadas.

"O viajor de bom sentimento, contudo, inclinou-se para o menino estendido, demorou-se alguns minutos colando-o paternalmente ao próprio peito e, aconchegando-o ainda mais, marchou adiante, embora menos rápido.

"A chuva gelada caiu, metódica, pela noite adentro, mas ele, sobraçando o valioso fardo, depois de muito tempo atingiu a hospedaria do povoado que buscava. Com enorme surpresa, porém, não encontrou aí o colega que o precedera. Somente no dia imediato, depois de minuciosa procura, foi o infeliz viajante encontrado sem vida, num desvão do caminho alagado.

"Seguindo à pressa e a sós, com a ideia egoística de preservar-se, não resistiu à onda de frio que se fizera violenta e tombou encharcado, sem recursos com que pudesse fazer face ao congelamento, enquanto o companheiro, recebendo, em troca, o suave calor da criança que sustentava junto do próprio coração, superou os obstáculos da noite frígida, guardando-se indene de semelhante desastre. Descobrira a sublimidade do auxílio mútuo... Ajudando o menino abandonado, ajudara a si mesmo. Avançando com sacrifício para ser útil a outrem, conseguira triunfar dos percalços da senda, alcançando as bênçãos da salvação recíproca."

A história singela deixara os discípulos surpreendidos e sensibilizados.

Terna admiração transparecia nos olhos úmidos das mulheres humildes que acompanhavam a reunião, ao passo que os homens se entreolhavam espantados.

Foi então que Jesus, depois de curto silêncio, concluiu expressivamente:

— As mais eloquentes e exatas testemunhas de um homem, perante o Pai supremo, são as suas próprias obras. Aqueles que amparamos constituem nosso sustentáculo. O coração que socorremos converter-se-á agora ou mais tarde em recurso a nosso favor. Ninguém duvide. Um homem sozinho é simplesmente um adorno vivo da solidão, mas aquele que coopera em benefício do próximo é credor do auxílio comum. Ajudando, seremos ajudados. Dando, receberemos: essa é a Lei divina.

17
A exaltação da cortesia

À frente da multidão de sofredores e desalentados, relacionou o Mestre as bem-aventuranças, destacando, com ênfase, a declaração de que os mansos herdariam a Terra.

A afirmativa, porém, soou entre os discípulos de maneira menos agradável.

Tal asserção não seria encorajamento à ociosidade mental?

Se o Evangelho reclamava Espíritos valorosos na sementeira das verdades renovadoras, como acomodar a promessa com a necessidade do destemor? Se o mal era atrevido e contundente, em todos os climas e posições, como estabelecer o triunfo inadiável do bem por meio da incapacidade de reagir, embora pacificamente?

Nessas interrogações imprecisas, reuniu-se a assembleia familiar no domicílio de Pedro.

Iniciados os comentários edificantes da noite, entreolhavam-se os discípulos entre a indagação e a curiosidade.

O divino Amigo parecia perceber os motivos da expectação em torno, mas esperava, sereno, que os seguidores se pronunciassem.

Foi então que Judas, rompendo o véu de respeito que aureolava a presença do Mestre, inquiriu loquaz:

— Senhor, por que atribuíste aos mansos a posse final da Terra? Os corações acovardados gozarão de semelhante bênção? Os incapazes de testemunhar a fé, nos momentos graves de luta e sacrifício, serão igualmente bem-aventurados?

Jesus não respondeu de imediato.

Vagueou o olhar pelos circunstantes, como a pedir-lhes a exposição de quaisquer dúvidas que lhes povoassem a alma.

Pedro cobrou ânimo e perguntou:

— Sim. Mestre: se um malfeitor visitar-me a casa, não devo recordar-lhe os imperativos do acatamento recíproco? Entregar-me-ei sem qualquer admoestação fraternal aos seus delituosos caprichos, a pretexto de guardar a mansidão a que te referiste?

O Cristo sorriu, como tantas vezes, e enunciou calmo:

— Enganaram-se todos, naturalmente. Eu não fiz o elogio da preguiça que se mascara de humildade, nem da covardia que se veste de cordura para melhor acomodar-se às conveniências humanas. As criaturas que se afeiçoam a semelhantes artifícios sofrerão duramente os instrumentos espirituais de que o mundo se utiliza para reajustar os caracteres tortuosos e indecisos. Exaltei, na realidade, a cortesia de que somos credores uns dos outros. Bem-aventurados os homens de trato ameno que sabem usar a energia construtiva entre o gesto de bondade e o verbo da compreensão! Bem-aventurados os filhos do equilíbrio e da gentileza que aprendem a negar o mal, sem ferir o irmão ignorante que o solicita sem saber o que pede! Abençoados os que repetem mil vezes a mesma lição, sem alarde, para que o próximo lhes aproveite a influenciação na felicidade justa de todos! Bem-aventurados aqueles que sabem tratar o rico e o pobre, o sábio e o inculto, o bom e o mau, com espírito de serviço e entendimento, dando a cada um de conformidade com os seus méritos e necessidades e deixando os sinais de melhoria, de elevação, bem-estar e contentamento por onde cruzam! Em verdade vos digo que a eles pertencerá o domínio espiritual da Terra, porque todo aquele que acolhe os semelhantes, dentro das normas do amor e do respeito, é senhor dos corações que se aperfeiçoam no mundo!

Alívio e alegria transbordaram do ânimo geral e, de olhos fitos, agora, nas águas imensas do grande lago, o Senhor pediu a Mateus encerrasse o fraterno entendimento da noite, pronunciando uma prece.

18
A bênção do estímulo

Comentavam os aprendizes que a verdade constitui dever primordial, acima de todas as obrigações comuns, quando Filipe afiançou que, a pretexto de cultuar-se a realidade, ninguém deveria aniquilar a consolação. E talvez por reportar-se André à franqueza com que o Mestre atendia aos mais variados problemas da vida, o Senhor tomou a palavra e contou atencioso:
— Devotado chefe de família que lutava com bravura por amealhar recursos com que pudesse sustentar o barco doméstico, depois de desfrutar vasto período de fartura, viu-se pobre e abandonado pelos melhores amigos, de uma semana para outra, em virtude de enorme desastre comercial. O infeliz não soube suportar o golpe que o mundo lhe vibrava no espírito e morreu, após alguns dias, ralado por inomináveis dissabores.
"Entregue a si mesma, ao pé de seis filhos jovens, a valorosa viúva enxugou o pranto, reuniu os rebentos ao redor de velha

mesa que lhes restava e verificou que os moços amargurados pareciam absolutamente vencidos pela tristeza e pelo desânimo.

"Cercada de tantas lamentações e lágrimas, a senhora meditou, meditou... e, em seguida, dirigiu-se ao interior, de onde voltou sobraçando pequena caixa de madeira, cuidadosamente cerrada, e falou aos rapazes com segurança:

"'Meus filhos, não nos achamos em tamanha miserabilidade. Neste cofre possuímos valioso tesouro que a previdência paternal lhes deixou. É fortuna capaz de fazer a nossa felicidade geral; entretanto, os maiores depósitos do mundo desaparecem quando não se alimentam nas fontes do trabalho honesto e produtivo. Em verdade, o nosso ausente, quando desceu ao repouso, nos empenhou em dívidas pesadas; todavia, não será justo o esforço para resgatá-las com a preservação de nosso precioso legado? Aproveitemos o tempo, melhorando a própria sorte e, se concordam comigo, abriremos a caixa, mais tarde, a menos que as exigências do pão se façam insuperáveis.'

"Belo sorriso de alegria e reconforto apareceu no semblante de todos.

"Ninguém discordou da sugestão materna.

"No dia seguinte, os seis jovens atacaram corajosamente o serviço da terra. Valendo-se de grande gleba alugada, plantaram o trigo, com imenso desvelo, em valoroso trabalho de colaboração e, com tanto devotamento se portaram que, findos seis anos, os débitos da família se achavam liquidados, enorme propriedade rural fora adquirida e o nome do pai coroado, de novo, pela honra justa e pela fortuna próspera.

"Quando já haviam superado de muito os bens perdidos pelo pai, reuniram-se, certa noite, com a genitora, a fim de conhecerem o legado intacto.

"A velhinha trouxe o cofre com inexcedível carinho, sorriu satisfeita e abriu-o sem grande esforço. Com assombro dos filhos, porém, dentro do estojo encontraram somente velho pergaminho com as belas palavras de Salomão:

"'O filho sábio alegra seu pai, mas o filho insensato é a tristeza de sua mãe. Os tesouros da impiedade de nada aproveitam; contudo, a justiça livra-nos da morte no mal. O Senhor não deixa com fome a alma do justo; entretanto, recusa a fazenda dos ímpios. Aquele que trabalha com mão enganosa empobrece; todavia, a mão dos diligentes enriquece para sempre.'

"Entreolharam-se os rapazes com júbilo indizível e agradeceram a inolvidável lição que o carinho materno lhes havia doado."

Silenciou o Mestre, sob a expressão de contentamento e curiosidade dos discípulos e, finda a ligeira pausa, terminou, sentencioso:

— Quem classificaria de enganadora e mentirosa essa grande mulher? Seja o nosso falar "sim, sim" e "não, não" nos lances graves da vida, mas nunca espezinhemos a bênção do estímulo nas lutas edificantes de cada dia. O grelo tenro é a promessa do fruto. A pretexto de acender a luz da verdade, que ninguém destrua a candeia da esperança.

19
A receita da felicidade

Tadeu, que era dos comentaristas mais inflamados no culto da Boa-Nova, em casa de Pedro, entusiasmara-se na reunião, relacionando os imperativos da felicidade humana e clamando contra os dominadores de Roma e contra os rabinos do Sinédrio.

Tocado de indisfarçável revolta, dissertou largamente sobre a discórdia e o sofrimento reinantes no povo, situando-lhes a causa nas deficiências políticas da época, e, depois que expendeu várias considerações preciosas acerca do assunto, Jesus perguntou-lhe:

— Tadeu, como interpreta você a felicidade?

— Senhor, a felicidade é a paz de todos.

O Cristo estampou significativa expressão fisionômica e ponderou:

— Sim, Tadeu, isso não desconheço; entretanto, estimaria saber como você se sentiria realmente feliz.

O discípulo, com algum acanhamento, enunciou:

— Mestre, suponho que atingiria a suprema tranquilidade se pudesse alcançar a compreensão dos outros.

"Desejo, para esse fim, que o próximo me não despreze as intenções nobres e puras.

"Sei que erro, muitas vezes, porque sou humano; entretanto, ficaria contente se aqueles que convivem comigo me reconhecessem o sincero propósito de acertar.

"Respiraria abençoado júbilo se pudesse confiar em meus semelhantes, deles recebendo a justa consideração de que me sinta credor, em face da elevação de meu ideal.

"Suspiro pelo respeito de todos, para que eu possa trabalhar sem impedimentos.

"Regozijar-me-ia se a maledicência me esquecesse.

"Vivo na expectativa da cordialidade alheia e julgo que o mundo seria um paraíso se as pessoas da estrada comum se tratassem de acordo com o meu anseio honesto de ser acatado pelos demais.

"A indiferença e a calúnia doem-me no coração.

"Creio que o sarcasmo e a suspeita foram organizados pelos Espíritos das trevas para tormento das criaturas.

"A impiedade é um fel quando dirigida contra mim; a maldade é um fantasma de dor quando se põe ao meu encontro.

"Em razão de tudo isso, sentir-me-ia venturoso se os meus parentes, afeiçoados e conterrâneos, me buscassem não pelo que aparento ser nas imperfeições do corpo, mas pelo conteúdo de boa vontade que presumo conservar em minha alma.

"Acima de tudo, Senhor, estaria sumamente satisfeito se quantos que peregrinam comigo me concedessem direito de experimentar livremente o meu gênero de felicidade pessoal, desde que me sinta aprovado pelo código do bem, no campo de minha consciência, sem ironias e críticas descabidas.

"Resumindo, Mestre, eu queria ser compreendido, respeitado e estimado por todos, embora não seja, ainda, o modelo de perfeição que o Céu espera de mim, com o abençoado concurso da dor e do tempo."

Calou-se o apóstolo e esboçou-se, na sala singela, incontido movimento de curiosidade ante a opinião que o Cristo adotaria.

Alguns dos companheiros esperavam que o Amigo celeste usasse o verbo em comprida dissertação, mas o Mestre fixou os olhos muito límpidos no discípulo e falou com franqueza e doçura:

— Tadeu, se você procura, então, a alegria e a felicidade do mundo inteiro, proceda para com os outros como deseja que os outros procedam para com você. E caminhando cada homem nessa mesma norma, muito breve estenderemos na Terra as glórias do paraíso.

20
A caridade desconhecida

A conversação em casa de Pedro versava, nessa noite, sobre a prática do bem, com a viva colaboração verbal de todos.
Como expressar a compaixão, sem dinheiro? Por que meios incentivar a beneficência, sem recursos monetários?
Com essas interrogativas, grandes nomes da fortuna material eram invocados e a maioria inclinava-se a admitir que somente os poderosos da Terra se encontravam à altura de estimular a piedade ativa, quando o Mestre interferiu, opinando bondoso:
— Um sincero devoto da Lei foi exortado por determinações do Céu ao exercício da beneficência; entretanto, vivia em pobreza extrema e não podia, de modo algum, retirar a mínima parcela de seu salário para o socorro aos semelhantes. Em verdade, dava de si mesmo, quanto possível, em boas palavras e gestos pessoais de conforto e estímulo a quantos se achavam em sofrimento e dificuldade; porém, magoava-lhe o coração a impossibilidade de distribuir agasalho e pão com os andrajosos e famintos à margem de sua estrada.

"Rodeado de filhinhos pequeninos, era escravo do lar que lhe absorvia o suor.

"Reconheceu, todavia, que, se lhe era vedado o esforço na caridade pública, podia perfeitamente guerrear o mal, em todas as circunstâncias de sua marcha pela Terra.

"Assim é que passou a extinguir, com incessante atenção, todos os pensamentos inferiores que lhe eram sugeridos; quando em contato com pessoas interessadas na maledicência, retraía-se, cortês, e, respondendo a alguma interpelação direta, recordava essa ou aquela pequena virtude da vítima ausente; se alguém, diante dele, dava pasto à cólera fácil, considerava a ira como enfermidade digna de tratamento e recolhia-se à quietude; insultos alheios batiam-lhe no espírito à maneira de calhaus em barril de mel, porquanto, além de não reagir, prosseguia tratando o ofensor com a fraternidade habitual; a calúnia não encontrava acesso em sua alma, uma vez que toda denúncia torpe se perdia, inútil, em seu grande silêncio; reparando ameaças sobre a tranquilidade de alguém, tentava desfazer as nuvens da incompreensão, sem alarde, antes que assumissem feição tempestuosa; se alguma sentença condenatória bailava em torno do próximo, mobilizava, espontâneo, todas as possibilidades ao seu alcance na defesa delicada e imperceptível; seu zelo contra a incursão e a extensão do mal era tão fortemente minucioso que chegava a retirar detritos e pedras da via pública, para que não oferecessem perigo aos transeuntes.

"Adotando essas diretrizes, chegou ao termo da jornada humana, incapaz de atender às sugestões da beneficência que o mundo conhece. Jamais pudera estender uma tigela de sopa ou ofertar uma pele de carneiro aos irmãos necessitados.

"Nessa posição, a morte buscou-o ao tribunal divino, onde o servidor humilde compareceu receoso e desalentado. Temia o julgamento das autoridades celestes, quando, de improviso, foi aureolado por brilhante diadema e, porque indagasse, em lágrimas, a razão do inesperado prêmio, foi informado de que a sublime recompensa se referia à sua triunfante posição na guerra contra o mal, em que se fizera valoroso empreiteiro."

Fixou o Mestre nos aprendizes o olhar percuciente e calmo e concluiu, em tom amigo:

— Distribuamos o pão e a cobertura, acendamos luz para a ignorância e intensifiquemos a fraternidade aniquilando a discórdia, mas não nos esqueçamos do combate metódico e sereno contra o mal, em esforço diário, convictos de que, nessa batalha santificante, conquistaremos a divina coroa da caridade desconhecida.

21
O rico vigilante

Tiago, o mais velho, em explanação preciosa, falou sobre as ânsias de riqueza, tão comuns em todos os mortais, e, findo o interessante debate doméstico, Jesus comentou sorridente:

— Um homem temente a Deus e consagrado à retidão leu muitos conselhos alusivos à prudência e deliberou trabalhar, com afinco, de modo a reter um tesouro com que pudesse beneficiar a família. Depois de sentidas orações, meteu-se em várias empresas, aflito por alcançar seus fins. E, por vinte anos consecutivos, ajuntou moeda sobre moeda, formando o patrimônio de alguns milhões.

"Quando parou de agir, a fim de apreciar a sua obra, reconheceu, com desapontamento, que todos os quadros da própria vida se haviam alterado sem que ele mesmo percebesse.

"O lar, dantes simples e alegre, adquirira feição sombria. A esposa fizera-se escrava de mil obrigações destinadas a matar o tempo; os filhos cochichavam entre si, consultando sobre a herança que a morte do pai lhes reservaria; a amizade fiel desertara; os vizinhos, acreditando-o completamente feliz, cercaram-no de inveja e ironia; as autoridades da localidade em que vivia obrigavam-no a dobradas atitudes de artifício, em desacordo com a sinceridade do seu coração. Os negociantes visitavam-no, a cada instante, propondo-lhe transações criminosas ou descabidas; servidores bajulavam-no com declarado fingimento quando ao lado de seus ouvidos, para lhe amaldiçoarem o nome por trás de portas semicerradas. Em razão de tantos distúrbios, era compelido a transformar a residência numa fortaleza, vigiando-se contra tudo e contra todos.

"Sobrava-lhe tempo, agora, para registrar as moléstias do corpo e raramente passava algum dia sem as irritações do estômago ou sem dores de cabeça.

"Em poucas semanas de meticulosa observação, concluiu que a fortuna trancafiada no cofre era motivo de desilusões e arrependimentos sem termo.

"Em certa noite, porque não mais tolerasse as preocupações obcecantes do novo estado, orou em lágrimas, suplicando a inspiração do Senhor. Depois da comovente rogativa, eis que um anjo lhe aparece na tela evanescente do sonho e lhe diz compadecido:

"'Toda fortuna que corre à maneira das águas cristalinas da fonte, é uma bênção viva, mas toda riqueza em repouso inútil é poço venenoso de águas estagnadas... Por que exigiste um rio, quando o simples copo d'água te sacia a sede? como te animaste a guardar, ao redor de ti, celeiros tão recheados, quando alguns grãos de trigo te bastam à refeição? que motivos te induziram a amontoar centenas de peles em torno do lar, quando alguns fragmentos de lã te aquecem o corpo em trânsito para o sepulcro?... Volta e converte a tua arca de moedas em cofre milagroso de salvação! Estende os júbilos do trabalho, cria escolas para a sementeira da luz espiritual e improvisa a alegria a muitos! Somente vale o dinheiro da Terra pelo bem que possa fazer!'

"Sob indizível espanto, o caçador de ouro despertou transformado e, do dia seguinte em diante, passou a libertar as suas enormes reservas, para que todos os seus vizinhos tivessem, junto dele, as bênçãos do serviço e do bom ânimo...

"Desde o primeiro sinal de semelhante renovação, a esposa fixou-o com estranheza e revolta, os filhos odiaram-no e os seus próprios beneficiados o julgaram louco; todavia, robustecido e feliz, o milionário vigilante voltou a possuir no domicílio um santuário aberto e os gênios da alegria oculta passaram a viver em seu coração."

Silenciando o Mestre, Tiago, que comandava a palestra da noite, exclamou entusiasta:

— Senhor, que ensinamento valioso e sublime!...

Jesus sorriu e respondeu:

— Sim, mas apenas para aqueles que tiverem "ouvidos de ouvir" e "olhos de ver".

22
O talismã divino

Entabularam os familiares interessante palestra acerca das faculdades sublimes de que o Mestre dava testemunho amplo, curando loucos e cegos, quando Salomé, a zelosa genitora de João e Tiago, indagou, sem preâmbulos:

— Senhor, terás contigo algum talismã de cuja virtude possamos desfrutar? Algum objeto mágico que nos possa favorecer?

Jesus pousou na matrona os olhos penetrantes e falou risonho:

— Realmente, conheço um talismã de maravilhoso poder. Usando-lhe os milagrosos recursos, é possível iniciar a aquisição de todos os dons de nosso Pai. Oferece a descoberta dos tesouros do amor que resplandecem ao redor de nós, sem que lhes vejamos, de pronto, a grandeza. Descortina o entendimento em que a desarmonia castiga os corações. Abre a porta às revelações da Arte e da Ciência. Estende possibilidades de luminosa comunhão com as fontes divinas da vida. Convida à bênção da meditação nas coisas sagradas. Reata relações de companheiros em discordância. Descerra passagens de luz aos Espíritos que se demoram nas sombras. Permite abençoadas sementeiras de alegria. Reveste-se de mil oportunidades de paz com todos. Indica vasta rede de trilhos para o trabalho salutar. Revela mil modos de enriquecer a vida que vivemos. Facilita o acesso da alma ao pensamento dos grandes mestres. Dá comunicações com os mananciais celestes da intuição.

— "Que mais?" — disse o Senhor, imprimindo ênfase à pergunta.

E após sorrir, complacente, continuou:

— Sem esse divino talismã, é impossível começar qualquer obra de luz e paz na Terra.

Os olhos dos ouvintes permutavam expressões de assombro, quando a esposa de Zebedeu inquiriu espantada:

— Mestre, onde poderemos adquirir semelhante bênção? Dize-nos. Precisamos desse acumulador de felicidade.

O Cristo, então, acrescentou bem-humorado:

— Esse bendito talismã, Salomé, é propriedade comum a todos. É "a hora que estamos atravessando"... Cada minuto de nossa alma permanece revestido de prodigioso poder oculto quando sabemos usá-lo no infinito bem, porque toda grandeza e toda decadência, toda vitória e toda ruína são iniciadas com a colaboração do dia.

E, diante da perplexidade de todos, rematou:

— O tempo é o divino talismã que devemos aproveitar.

23
Os mensageiros distraídos

Os ouvintes do culto da Boa-Nova discorriam sobre as polêmicas que se travavam incessantemente em torno da fé, nos círculos do farisaísmo de várias escolas, quando o Cristo, dentro da profunda simplicidade que lhe era característica, narrou tolerante:

— Um grande senhor recebeu alarmantes notícias de vasto agrupamento de servos, em zona distante da sede do seu governo, que se viam fustigados por febre maligna e, desejoso de socorrer os tutelados que sofriam na região remota de seus domínios, enviou-lhes mensageiros de confiança, conduzindo remédios adequados à situação e providências alusivas ao reajustamento geral.

"Os emissários saíram do palácio com grandes promessas de trabalho, segurança e eficiência na missão; todavia, assim que se viram fora das portas do senhor, começaram a rixar pela escolha dos caminhos.

"Uns reclamavam o atalho, outros a planície sem espinheiros, e outros, ainda, pediam a passagem através dos montes.

"Longos dias perderam na disputa, até que o grupo se desuniu, cada falange atendendo aos próprios caprichos, com absoluto esquecimento do objetivo fundamental.

"As dificuldades, porém, não foram solucionadas com decisão. Criados os roteiros diferentes, como que se dilataram os conflitos. Reduzidas agora numericamente, as expedições sofreram, com mais rigor, os golpes esterilizantes das opiniões pessoais. Os viajantes não cuidavam senão de inventar novos motivos para o atrito inútil. Entre os que marchavam pelo trilho mais curto, pela vargem e pela serra lavraram discussões improdutivas, contundentes e intermináveis. Dias e noites preciosos eram despendidos em comentários ruidosos sobre a febre, sobre a condição dos enfermos ou as paisagens em torno. Horas difíceis de amargura e desarmonia, de momento a momento, interrompiam a viagem, sendo a muito custo evitadas as cenas de pugilato e homicídio.

"Surgiam as contendas, a propósito de mínimas questões, com pleno desperdício da oportunidade, e, em razão disso, tanto se atrasaram os viajores do atalho, quanto os da planície e do monte, uma vez que se encontraram no vale da peste a um só tempo, com enorme e irremediável desapontamento para todos, porquanto, à míngua do prometido recurso, não sobrara nenhum doente vivo na carne.

"A morte devorara-os, um a um, enquanto os mensageiros discutidores mataram o tempo através da viagem."

O Mestre fixou nos aprendizes o olhar muito lúcido e aduziu:

— Neste símbolo, temos o mundo atacado pela peste da maldade e da descrença e vemos o retrato dos portadores da medicação celeste, que são os religiosos de todos os matizes, que falam na Terra em nome do Pai. Os homens iluminados pela sabedoria da fé, entretanto, apesar de haverem recebido valiosos recursos do Céu para os que sofrem e choram, em consequência da ignorância e da aflição dominantes no mundo, olvidam as obrigações que lhes assinalam a vida e, sobrepondo os próprios caprichos aos propósitos do supremo Senhor, se desmandam em desvarios verbais de toda espécie. Enquanto alimentam o distúrbio, levianos e distraídos, os necessitados de luz e socorro desfalecem à falta de assistência e dedicação.

E, afagando uma das crianças presentes, qual se concentrasse todas as esperanças no sublime futuro, finalizou, sorridente e calmo:

— A discussão, por mais proveitosa, nunca deve distrair-nos do serviço que o Senhor nos deu a fazer.

24
Os sinais da renovação

Ante a assembleia familiar, o Mestre tomou a palavra e falou persuasivo:

— E quando o Reino Divino estiver às portas dos homens, a alma do mundo estará renovada.

"O mais poderoso não será o mais desapiedado, e sim o que mais ame.

"O vencedor não será aquele que guerrear o inimigo exterior até a morte em rios de sangue, mas o que combater a iniquidade e a ignorância, dentro de si mesmo, até a extinção do mal, nos círculos da própria natureza.

"O mais eloquente não será o dono do mais belo discurso, mas sim o que aliar as palavras santificantes aos próprios atos, elevando o padrão da vida, no lugar onde estiver.

"O mais nobre não será o detentor do maior número de títulos que lhe conferem a transitória dominação em propriedades efêmeras da Terra, mas aquele que acumular, mais intensamente, os créditos do amor e da gratidão nos corações das mães e das crianças, dos velhos e dos enfermos, dos homens leais e honestos, operosos e dignos, humildes e generosos.

"O mais respeitável não será o dispensador de ouro e poder armado, e sim o de melhor coração.

"O mais santo não será o que se isola em altares do supremo orgulho espiritual, evitando o contato dos que padecem, por temer a degradação e a imundície, mas sim aquele que descer da própria grandeza, estendendo mãos fraternas aos miseráveis e sofredores, elevando-lhes a alma dilacerada aos planos da alegria e do entendimento.

"O mais puro não será o que foge ao intercâmbio com os maus e criminosos confessos, mas aquele que se mergulha no lodo para salvar os irmãos decaídos, sem contaminar-se.

"O mais sábio não será o possuidor de mais livros e teorias, mas justamente aquele que, embora saiba pouco, procura acender uma luz nas sombras que ainda envolvem o irmão mais próximo..."

O Amigo divino pousou os olhos lúcidos na noite clara que resplandecia lá fora, em pleno coração da Natureza, fez longo intervalo e acentuou:

— Nessa época sublime, os homens não se ausentarão do lar em combate aos próprios irmãos, por exigências de conquista ou pelo ódio de raça, em tempestades de lágrimas e sangue, porquanto estarão guerreando as trevas da ignorância, as chagas da enfermidade, as angústias da fome e as torturas morais de todos os matizes... Quando o arado substituir o carro suntuoso dos triunfadores, nas exibições públicas de grandeza coletiva; quando o livro edificante absorver o lugar da espada no espírito do povo; quando a bondade e a sabedoria presidirem às competições das criaturas para que os bons sejam venerados; quando o sacrifício pessoal em proveito de todos constituir a honra legítima da individualidade, a fim de que a paz e o amor não se percam, dentro da vida — então uma nova Humanidade estará no berço luminoso do Divino Reino...

Nesse ponto, a palavra doce e soberana fez branda pausa e, lá fora, na tepidez da noite suave, as estrelas fulgentes, a cintilarem no alto, pareciam saudar essa era distante...

25
A visita da Verdade

Certa feita, disse o Mestre que só a Verdade fará livre o homem, e, talvez porque lhe não pudesse apreender, de imediato, a vastíssima extensão da afirmativa, perguntou-lhe Pedro, no culto doméstico:

— Senhor, que é a Verdade?

Jesus fixou no rosto enigmática expressão e respondeu:

— A Verdade total é a Luz divina total; entretanto, o homem ainda está longe de suportar-lhe a sublime fulguração.

Reparando, porém, que o pescador continuava faminto de esclarecimentos novos, o Amigo celeste meditou alguns minutos e falou:

— Numa caverna escura, onde a claridade nunca surgira, demorava-se certo devoto, implorando o socorro divino. Declarava-se o mais infeliz dos homens, não obstante, em sua cegueira, sentir-se o melhor de todos. Reclamava contra o ambiente fétido em que se achava. O ar empestado sufocava-o — dizia ele em gritos comoventes. Pedia uma porta libertadora que o conduzisse ao convívio do dia claro. Afirmava-se robusto, apto, aproveitável. Por que motivo era conservado ali, naquele insulamento doloroso? Chorava e bradava, não ocultando aflições e exigências. Que razões o obrigavam a viver naquela atmosfera insuportável?

"Notando nosso Pai que aquele filho formulava súplicas incessantes, entre a revolta e a amargura, profundamente compadecido enviou-lhe a Fé.

"A sublime virtude exortou-o a confiar no futuro e a persistir na oração.

"O infeliz consolou-se de algum modo, mas, a breve tempo, voltou a lamuriar.

"Queria fugir ao monturo e, como se lhe aumentassem as lágrimas, o Todo-Poderoso mandou-lhe a Esperança.

"A emissária afagou-lhe a fronte suarenta e falou-lhe da eternidade da vida, buscando secar-lhe o pranto desesperado. Para isso, rogou-lhe calma, resignação, fortaleza.

"O pobre pareceu melhorar, mas, decorridas algumas horas, retomou a lamentação.

"Não podia respirar — clamava, em desalento.

"Condoído, determinou o Senhor que a Caridade o procurasse.

"A nova mensageira acariciou-o e alimentou-o, endereçando-lhe palavras de carinho, qual se lhe fora abnegada mãe.

"Todavia, porque o mísero prosseguisse gritando, revoltado, o Pai compassivo enviou-lhe a Verdade.

"Quando a portadora de esclarecimento se fez sentir na forma de uma grande luz, o infortunado, então, viu-se tal qual era e apavorou-se. Seu corpo era um conjunto monstruoso de chagas pustulentas da cabeça aos pés e, agora, percebia, espantado, que ele mesmo era o autor da atmosfera intolerável em que vivia. O pobre tremeu cambaleante e, notando que a Verdade serena lhe abria a porta da libertação, horrorizou-se de si mesmo; sem coragem de cogitar da própria cura, longe de encarar a visitadora, frente a frente, para aprender a limpar-se e a purificar-se, fugiu, espavorido, em busca de outra furna onde conseguisse esconder a própria miséria que só então reconhecia."

O Mestre fez longa pausa e terminou:

— Assim ocorre com a maioria dos homens perante a realidade. Sentem-se com direito à recepção de todas as bênçãos do Eterno e gritam fortemente, implorando a ajuda celestial. Enquanto amparados pela fé, pela esperança ou pela caridade, consolam-se e desconsolam-se, creem e descreem, tímidos, irritadiços e hesitantes; todavia, quando a Verdade brilha diante deles, revelando-lhes a condição em que se encontram, costumam fugir, apressados, em busca de esconderijos tenebrosos, dentro dos quais possam cultivar a ilusão.

26
O valor do serviço

Filipe, velho pescador de Cafarnaum, enlevado com as explanações de Jesus sobre um texto de Isaías, passou a comentar a diferença entre os justos e injustos, de maneira a destacar o valor da santidade na Terra.

O Mestre ouviu calmamente e, talvez para prevenir os excessos de opinião, narrou com bondade:

— Certo fariseu, de vida irrepreensível, atingiu posição de imenso respeito público. Passava dias inteiros no templo, entre orações e jejuns incessantes. Conhecia a Lei como ninguém. Desde Moisés aos últimos Profetas, decorara os mais importantes textos da Revelação. Se passava nas ruas, era tão grande a estima de que se fizera credor que as próprias crianças se curvavam reverentes. Consagrara-se ao Santo dos Santos e fazia vida perfeita entre os pecadores da época. Alimentava-se frugalmente, vestia túnica sem mancha e abstinha-se de falar com toda pessoa considerada impura.

"Acontece, todavia, que, havendo grande peste em cidade próxima de Jerusalém, um anjo do Senhor desceu, prestimoso, a socorrer necessitados e doentes em nome da divina Providência.

"Necessitava, porém, das mãos diligentes de um homem, por meio das quais pudesse trabalhar, apressado, em benefício de enfermos e sofredores.

"Lembrou-se de recorrer ao santo fariseu, conhecido na Corte celeste por seus reiterados votos de perfeição espiritual, mas o devoto se achava tão profundamente mergulhado em suas contemplações de pureza que não lhe sobrava o mínimo espaço interior para entender qualquer pensamento de socorro às vítimas da epidemia.

"Como cooperar com o emissário divino, nesse setor, se evitava o menor contato com o mundo vulgar, classificado, em sua mente, como vale da imundície?

"O anjo insistia no chamamento; contudo, a peste era exigente e não admitia delongas.

"O mensageiro afastou-se e recorreu a outras pessoas amantes da Lei. Nenhuma, entretanto, se julgava habilitada a contribuir.

"Ninguém desejava arriscar-se.

"Instado pelas reclamações do serviço, o enviado de cima encontrou antigo criminoso que mantinha o propósito de regenerar-se. Por meio dos fios invisíveis do pensamento, convidou-o a segui-lo; e o velho ladrão, sinceramente transformado, não hesitou. Obedeceu ao doce constrangimento e votou-se sem demora, com a espontaneidade da cooperação robusta e legítima, ao ministério do socorro e da salvação.

"Enterrou cadáveres insepultos, improvisou remédios adequados à situação, semeou o bom ânimo, aliviou os aflitos, renovou a coragem dos enfermos, libertou inúmeras criancinhas ameaçadas pelo mal, criou serviços de consolação e esperança e, com isso, conquistou sólidas amizades no Céu, adiantando-se de surpreendente maneira no caminho do paraíso."

Os presentes registraram a pequena história, entre a admiração e o desapontamento e, porque ninguém interferisse, o Senhor comentou, em seguida a longo intervalo:

— A virtude é sempre grande e venerável, mas não há de cristalizar-se à maneira de joia rara sem proveito. Se o amor cobre a multidão dos pecados, o serviço santificante que nele se inspira pode dar aos pecadores convertidos ao bem a companhia dos anjos, antes que os justos ociosos possam desfrutar o celeste convívio.

E, reparando que os ouvintes se retraíam no grande silêncio, o Senhor encerrou o culto doméstico da Boa-Nova, a fim de que o repouso trouxesse aos companheiros multiplicadas bênçãos de paz e meditação, sob o firmamento pontilhado de luz.

27
O dom esquecido

Centralizara-se geral atenção em torno de curiosa palestra referente aos dons com que o Céu aquinhoa as almas na Terra, quando o Senhor comentou paciente:

— Existiu um homem banhado pela graça do merecimento, que recebeu do Alto a permissão de abeirar-se do anjo dispensador dos dons divinos que florescem no mundo.

"Ante o Ministro celeste, o mortal venturoso pediu a bênção da mocidade.

"Recebeu a concessão, mas, em breve, reconheceu que a juventude poderia ser força e beleza, mas também era inexperiência e fragilidade espiritual, e, já desinteressado, voltou ao Doador sublime e solicitou-lhe a riqueza.

"Conseguiu a abastança e gozou-a longo tempo; todavia, reparou que a retenção de grandes patrimônios provoca a inveja maligna de muitos. Cansando-se na defesa laboriosa dos próprios bens, procurou o anjo e rogou-lhe a liberdade.

"Viu-se realmente livre. No entanto, foi defrontado por cruéis demônios invisíveis, que lhe perturbaram a caminhada, enchendo-lhe a cabeça de inquietudes e tentações.

"Extenuado, em face do permanente conflito interior em que vivia, retornou ao celeste Dispensador e suplicou o poder.

"Entrou na posse da nova dádiva e revestiu-se de grande autoridade. Entendeu, porém, mais cedo do que esperava, que o mando gera ódio e revolta nos corações preguiçosos e incompreensíveis e, atormentado pelos estiletes ocultos da indisciplina e da discórdia, dirigiu-se ao Benfeitor e implorou-lhe a inteligência.

"Todavia, na condição de cientista e homem de letras, perdeu o resto de paz que desfrutava. Compreendeu, depressa, que não lhe era possível semear a realidade de acordo com os seus desejos. Para não ser vítima da reação destruidora dos próprios beneficiados, era compelido a colocar um grão de verdade entre mil flores de fantasia passageira e, longe de acomodar-se à situação, tornou à presença do anjo e pediu-lhe o matrimônio feliz.

"Satisfeito em seu novo desígnio, reconfortou-se em milagroso ninho doméstico, estabelecendo graciosa família, mas, um dia, apareceu a morte e roubou-lhe a companheira.

"Angustiado pela viuvez, procurou o Ministro do Eterno e, afirmando que se equivocara mais uma vez, suplicou-lhe a graça da saúde.

"Recebeu a concessão. Entretanto, logo que se escoaram alguns anos, surgiu a velhice e desfigurou-lhe o corpo, desgastando-o e enrugando-o sem compaixão.

"Atormentado e incapaz agora de ausentar-se de casa, o anjo amigo veio ao encontro dele e, abraçando-o paternal, indagou que novo dom pretendia do Alto.

"O infeliz declarou-se em falência.

"Que mais poderia pleitear?

"Foi então que o glorioso Mensageiro lhe explicou que ele, o candidato à felicidade, se esquecera do maior de todos os dons que pode sustentar um homem no mundo, o dom da coragem que produz entusiasmo e bom ânimo para o serviço indispensável de cada dia..."

Jesus interrompeu-se por alguns minutos; depois, sorrindo ante a pequena assembleia, rematou:

— Formosa é a mocidade, agradável é a fortuna, admirável é a liberdade, brilhante é o poder, respeitável é a inteligência, santo é o casamento venturoso, bendita é a saúde da carne, mas se o homem não possui coragem para sobrepor-se aos bens e males da vida humana, a fim de aprender a consolidar-se no caminho para Deus, de pouca utilidade são os dons temporários na experiência transitória.

E, tomando ao colo um dos meninos presentes, indicou-lhe o firmamento estrelado, como a dizer que somente no Alto a felicidade perene das criaturas encontraria a verdadeira pátria.

28
A resposta celeste

Solicitando Bartolomeu esclarecimentos sobre as respostas do Alto às súplicas dos homens, respondeu Jesus para elucidação geral:

— Antigo instrutor dos mandamentos divinos ia em missão da Verdade celeste, de uma aldeia para outra, profundamente distanciadas entre si, fazendo-se acompanhar de um cão amigo, quando anoiteceu, sem que lhe fosse possível prever o número de milhas que o separavam do destino.

"Reparando que a solidão em plena Natureza era medonha, orou, implorando a proteção do eterno Pai, e seguiu.

"Noite fechada e sem luar, percebeu a existência de larga e confortadora cova, à margem da trilha em que avançava, e, acariciando o animal que o seguia vigilante, dispôs-se a deitar-se e dormir. Começou a instalar-se pacientemente, mas espessa nuvem de moscas vorazes o atacou de chofre, obrigando-o a retomar o caminho.

"O ancião continuou a jornada, quando se lhe deparou volumoso riacho, num trecho em que a estrada se bifurcava.

Ponte rústica oferecia passagem pela via principal, e, além dela, a terra parecia sedutora, porque, mesmo envolvida na sombra noturna, semelhava-se a extenso lençol branco.

"O santo pregador pretendia ganhar a outra margem, arrastando o companheiro obediente, quando a ponte se desligou das bases, estalando e abatendo-se por inteiro.

"Sem recursos, agora, para a travessia, o velhinho seguiu pelo outro rumo e, encontrando robusta árvore ramalhosa e acolhedora, pensou em abrigar-se convenientemente, porque o firmamento anunciava a tempestade pelos trovões longínquos. O vegetal respeitável oferecia asilo fascinante e seguro no próprio tronco aberto. Dispunha-se ao refúgio, mas a ventania começou a soprar tão forte que o tronco vigoroso caiu, partido, sem remissão.

"Exposto então à chuva, o peregrino movimentou-se para diante.

"Depois de aproximadamente duas milhas, encontrou um casebre rural, mostrando doce luz por dentro, e suspirou aliviado.

"Bateu à porta. O homem ríspido que veio atender foi claro na negativa, alegando que o sítio não recebia visitas à noite e que não lhe era permitido acolher pessoas estranhas.

"Por mais que chorasse e rogasse, o pregador foi constrangido a seguir além.

"Acomodou-se, como pôde, debaixo do temporal, nas cercanias da casinhola campestre; no entanto, a breve espaço, notou que o cão, aterrado pelos relâmpagos sucessivos, fugia a uivar, perdendo-se nas trevas.

"O velho, agora sozinho, chorou angustiado, acreditando-se esquecido por Deus, e passou a noite ao relento. Alta madrugada, ouviu gritos e palavrões indistintos, sem poder precisar de onde partiam.

"Intrigado, esperou o alvorecer e, quando o Sol ressurgiu resplandecente, ausentou-se do esconderijo, vindo a saber, por intermédio de camponeses aflitos, que uma quadrilha de ladrões pilhara a choupana onde lhe fora negado o asilo, assassinando os moradores.

"Repentina luz espiritual aflorou-lhe na mente.

"Compreendeu que a Bondade divina o livrara dos malfeitores e que, afastando dele o cão que uivava, lhe garantira a tranquilidade do pouso.

"Informando-se de que seguia em trilho oposto à localidade do destino, empreendeu a marcha de regresso para retificar a viagem e, junto à ponte rompida, foi esclarecido por um lavrador de que a terra branca, do outro lado, não passava de pântano traiçoeiro, em que muitos viajores imprevidentes haviam sucumbido.

"O velho agradeceu o salvamento que o Pai lhe enviara e, quando alcançou a árvore tombada, um rapazinho observou-lhe que o tronco, dantes acolhedor, era conhecido covil de lobos.

"Muito grato ao Senhor que tão milagrosamente o ajudara, procurou a cova onde tentara repouso e nela encontrou um ninho de perigosas serpentes.

"Endereçando infinito reconhecimento ao Céu pelas expressões de variado socorro que não soubera entender de pronto, prosseguiu adiante, são e salvo, para desempenho de sua tarefa."

Nesse ponto da curiosa narrativa, o Mestre fitou Bartolomeu demoradamente e terminou:

— O Pai ouve sempre as nossas rogativas, mas é preciso discernimento para compreender as respostas dele e aproveitá-las.

29
A parábola relembrada

Depois da parábola do bom samaritano, à noite, em casa de Simão, Tadeu, sinceramente interessado no assunto, rogou ao Mestre fosse mais explícito no ensinamento, e Jesus, com a espontaneidade habitual, falou:

— Um homem enfermo jazia no chão, em esgares de sofrimento, às portas de grande cidade, assistido por pequena massa popular menos esclarecida e indiferente.

"Passou por ali um moço romano de coração generoso, em seu carro, apressado, e atirou-lhe duas moedas de prata, que um rapazelho de maus costumes subtraiu às ocultas.

"Logo após, transitou pelo mesmo local um venerando escriba da Lei, que, alegando serviços prementes, prometeu enviar autoridades em benefício do mendigo anônimo.

"Quase de imediato, desfilou por ali um sacerdote que lançou ao viajante desamparado um gesto de bênção e, afirmando que o culto ao supremo Senhor esperava por ele, exortou o povo a asilar o doente e alimentá-lo.

"Depois dele, surgiu, de relance, respeitável senhora, a quem o pobre se dirigiu em comovedora súplica; todavia, a nobre matrona, lastimando as dificuldades da sua condição de mulher, invocou o cavalheirismo masculino para aliviá-lo, como se fazia imprescindível.

"Minutos após, um grande juiz varou o mesmo trecho da via pública, asseverando que nomearia testemunhas a fim de saber se o mísero não seria algum viciado vulgar, afastando-se lépido, sob o pretexto de que a oportunidade lhe não era favorável.

"Decorridos mais alguns instantes, veio à cena um mercador de bolsa que, condoído, asseverou a sua carência de tempo e deu vinte moedas a um homem que lhe pareceu simpático, a fim de que o problema de assistência fosse resolvido, mas o preposto improvisado era um malfeitor evadido do cárcere e fugiu com o dinheiro sem prestar o socorro prometido.

"O doente tremia e suava de dor, rojado ao pó, quando surgiu ali velho publicano, considerado de má vida por não adorar o Senhor, segundo as regras dos fariseus. Com espanto de todos, aproximou-se do infeliz, endereçou-lhe palavras de encorajamento e carinho, deu-lhe o braço, levantou-o e, sustentando-o com as próprias energias, conduziu-o a uma estalagem de confiança, fornecendo-lhe medicação adequada e dividindo com ele o reduzido dinheiro que trazia consigo. Em seguida, retomou a sua jornada, seguindo tranquilamente o seu caminho."

Depois de interromper-se ligeiramente, o Mestre perguntou ao discípulo:

— Em tua opinião, quem exerceu a caridade legítima?

— Ah! sem dúvida — exclamou Tadeu, bem-humorado —, embora aparentemente desprezível, foi o publicano, porquanto, além de dar o dinheiro e a palavra, deu também o sentimento, o tempo, o braço e o estímulo fraterno, utilizando, para isso, as próprias forças.

Jesus, complacente, fitou no aprendiz os olhos penetrantes e rematou:

— Então, faze tu o mesmo. A caridade, por substitutos, indiscutivelmente é honrosa e louvável, mas o bem que praticamos em sentido direto, dando de nós mesmos, é sempre o maior e o mais seguro de todos.

30
A regra de ajudar

João, no auge da curiosidade juvenil, compreendendo que se achava à frente de novos métodos de viver, tal a grandeza com que o Evangelho transparecia dos ensinamentos do Senhor, perguntou a Jesus qual a maneira mais digna de se portar o aprendiz diante do próximo, no sentido de ajudar os semelhantes, ao que o Amigo divino respondeu, com voz clara e firme:

— João, se procuras uma regra de auxiliar os outros, beneficiando a ti mesmo, não te esqueças de amar o companheiro de jornada terrestre, tanto quanto desejas ser querido e amparado por ele.

"A pretexto de cultivar a verdade, não transformes a própria existência numa batalha em que teus pés atravessem o mundo, qual furioso combatente no deserto; recorda que a maioria dos enfermos conhece, de algum modo, a moléstia que lhes é própria, reclamando amizade e entendimento, acima da medicação.

"Lembra-te de que não há corações na Terra sem problemas difíceis a resolver; em razão disso, aprende a cortesia fraternal para com todos.

"Acolhe o irmão do caminho, não somente com a saudação recomendada pelos imperativos da polidez, mas também com o calor do teu sincero propósito de servir.

"Fixa nos olhos as pessoas que te dirigirem a palavra, testemunhando-lhes carinhoso interesse, e guarda sempre a posição de ouvinte delicado e atencioso; não levantes demasiadamente a voz, porque a segurança e a serenidade com que os mais graves assuntos devem ser tratados não dependem de ruído.

"Abstém-te das conversações improfícuas; o comentário menos digno é sempre invasão delituosa em questões pessoais.

"Louva quem trabalha e, ainda mesmo diante dos maus e dos ociosos, procura exaltar o bem que são suscetíveis de produzir.

"Foge ao pessimismo, guardando a prudência indispensável perante as criaturas arrojadas em negócios respeitáveis, mas passageiros, do mundo; a tristeza improdutiva, que apenas sabe lastimar-se, nunca foi útil à Humanidade, necessitada de bom ânimo.

"Usa, cotidianamente, a chave luminosa do sorriso fraterno; com o gesto espontâneo de bondade, podemos sustar muitos crimes e apagar muitos males.

"Faze o possível por ser pontual; não deixes o companheiro à tua espera, a fim de que te não seja atribuída uma falsa importância.

"Agradece todos os benefícios da estrada, respeitando os grandes e os pequenos; se o Sol aquece a vida, é a semente de trigo que fornece o pão.

"Deixa que as águas vivas e invisíveis do amor, que procedem de Deus, nosso Pai, atravessem o teu coração, em favor do círculo de luta em que vives; o amor é a força divina que engrandece a vida e confere poder.

"Façamos, sobretudo, o melhor que pudermos na felicidade e na elevação de todos os que nos cercam, não somente aqui, mas em qualquer parte, não apenas hoje, mas sempre."

Silenciou o Cristo e, assinalando a beleza do programa exposto, o jovem apóstolo inquiriu respeitosamente:

— Senhor, como conseguirei executar tão expressivos ensinamentos?

O Mestre respondeu, resoluto:

— A boa vontade é nosso recurso de cada hora.

E, afagando os cabelos do discípulo inquieto, encerrou as preces da noite.

31
A razão da dor

Raquel, antiga servidora da residência de Cusa, ergueu a voz para indagar do Mestre por que motivo a dor se convertia em aflição nos caminhos do mundo.

Não era o homem criação de Deus? Não dispõe a criatura do abençoado concurso dos anjos? Não vela o Céu sobre os destinos da Humanidade?

Jesus fitou na interlocutora o olhar firme e considerou:

— A razão da dor humana procede da proteção divina. Os povos são famílias de Deus que, à maneira de grandes rebanhos, são chamados ao aprisco do Alto. A Terra é o caminho. A luta que ensina e edifica é a marcha. O sofrimento é sempre o aguilhão que desperta as ovelhas distraídas à margem da senda verdadeira.

Alguns instantes se escoaram mudos e o Mestre voltou a ponderar:

— O excesso de poder favorece o abuso, a demasia de conforto, não raro, traz o relaxamento, e o pão que se amontoa, de sobra, costuma servir de pasto aos vermes que se alegram no mofo...

Reparando, porém, que a assembleia de amigos lhe reclamava explicação mais ampla, elucidou fraternalmente:

— Um anjo, por ordem do eterno Pai, tomou à própria conta um homem comum, desde o nascimento. Ensinou-lhe a alimentar-se, a mover os membros e os músculos, a sorrir, a repousar e a asilar-se nos braços maternos. Sem afastar-se do protegido, dia e noite, deu-lhe as primeiras lições da palavra e, em seguida, orientou-lhe os impulsos novos, favorecendo-lhe o ensejo de aprender a raciocinar, a ler, a escrever e a contar. Afastava-o, hora a hora, de influências perniciosas ou mortíferas de Espíritos infelizes que o arrebatariam, por certo, para o sorvedouro da morte. Soprando-lhe ao pensamento ideias iluminadas aos clarões do infinito Bem, por meio de mil modos de socorro imperceptível, garantiu-lhe a saúde e o equilíbrio do corpo. Dava-lhe medicamentos invisíveis, por intermédio do ar e da água, da vestimenta e das plantas. Vezes sem conta, salvou-o do erro, do crime e dos males sem remédio que atormentam os pecadores. Ao amanhecer, o pajem celestial acorria atento, preparando-lhe dia calmo e proveitoso, defendendo-lhe a respiração, a alimentação e o pensamento, vigiando-lhe os passos, com amor, para melhor preservar-lhe os dons; ao anoitecer, postava-se-lhe à cabeceira, amparando-lhe o corpo contra o ataque de gênios infernais, aguardando-o, com maternal cuidado, para as doces instruções espirituais nos momentos de sono. No transcurso da vida, guiou-lhe os ideais, auxiliou-o a selecionar as emoções e a situar-se em trabalho digno e respeitável; clareou-lhe o cérebro jovem, insuflou-lhe entusiasmo santo, rumo à vida superior, e estimulou-o a formar um reino de santificação e serviço, progresso e aperfeiçoamento, num lar... O homem, todavia, que nunca se lembrara de agradecer as bênçãos que o cercavam, fez-se orgulhoso e cruel diante dos interesses alheios.

Ele, que retinha tamanhas graças do Céu, jamais se animou a estendê-las na Terra e passou simplesmente a humilhar os outros com a glória de que fora revestido por seu devotado e invisível benfeitor. Quando experimentou o primeiro desgosto, que ele mesmo provocou menosprezando a lei do amor universal, que determina a fraternidade e o respeito aos semelhantes, gesticulou, revoltado, contra o Céu, acusando o supremo Senhor de injusto e indiferente. Aflito, o anjo guardião procurava levantar-lhe o ideal de bondade, quando um anjo maior se aproximou dele e ordenou que o primeiro dissabor do tutelado endurecido por excesso de regalias se convertesse em aflição. Rolando, mentalmente, de aflição em aflição, o homem começou a recolher os valores da paciência, da humildade, do amor e da paz com todos, fazendo-se, então, precioso colaborador do Pai na Criação.

Finda a historieta, esperou Jesus que Raquel expusesse alguma dúvida, mas emudecendo a servidora, dominada pela meditação que os ensinamentos da noite lhe sugeriam, o culto da Boa-Nova foi encerrado com ardente oração de júbilo indefinível.

32
A fé vitoriosa

Destacava André certas dificuldades na expansão dos novos princípios redentores de que o Mestre se fazia emissário e se referia aos fariseus com amargura violenta, concitando os companheiros à resistência organizada. Jesus, porém, que ouvia com imperturbável tolerância a argumentação veemente, asseverou tão logo se estabeleceu o silêncio:

— Nenhuma escola religiosa triunfará com o Pai, ausentando-se do amor que nos cabe cultivar uns para com os outros.

E talvez porque se manifestasse justificada expectativa em torno dos apólogos que a sua divina palavra sabia tecer, contou muito calmo:

— Na época da fé selvagem, três homens primitivos com as suas famílias se localizaram em vasta floresta e, findo algum tempo de convívio fraternal, passaram a discutir sobre a natureza do Criador. Um deles pretendia que o Todo-Poderoso vivesse no trovão, outro acreditava que o Pai residisse no vento, e o terceiro, que Ele morasse no Sol. Todos se sentiam filhos dele, mas queriam à viva força a preponderância individual nos pontos de vista.

"Depois de ásperas altercações, guerrearam abertamente.

"Um dos três se munira de pesada carga de minério, outro reuniu grande acervo de pedras, e o último se ocultara por trás de compacto monte de madeira. Achas de lenha e rudes calhaus eram as armas do grande conflito.

"Invocavam todos a proteção do supremo Senhor para os seus núcleos familiares e empenhavam-se em luta. E tamanhas foram as perturbações que espalharam na floresta, prejudicando as árvores e os animais que lhes sofreram a flagelação, que o Todo-Compassivo lhes enviou um anjo amigo.

"O mensageiro visitou-lhes o reduto, na forma de um homem vulgar, e, longe de retirar-lhes os instrumentos com que destruíam a vida, afirmou que os patrimônios de que dispunham eram todos preciosos entre si, elucidando-os tão somente de que necessitavam imprimir nova direção às atividades em curso. Explicou-lhes que os três estavam certos na crença que alimentavam, porque Deus reside no Sol que sustenta as criaturas, no vento que auxilia a Natureza e no trovão que renova a atmosfera. E, com muita paciência, esclareceu a todos que o Criador só pode ser honrado pelos homens por meio do trabalho digno e proveitoso, ensinando o primeiro a transformar os duros fragmentos de minério em utensílios para o trato da terra, nas ocasiões de sementeira; o segundo, a converter as achas de lenha em peças valiosas ao bem-estar, e, o terceiro, a utilizar as pedras comuns na edificação de abrigos confortáveis, acrescentando, em tudo, a boa doutrina do serviço pelo progresso e aperfeiçoamento geral. Os contendores compreenderam, então, a grandeza da fé vitoriosa pela ação edificante, e a discórdia terminou para sempre..."

O Mestre fez pequena pausa e aduziu:

— Em matéria religiosa, cada crente possui razões respeitáveis e detém preciosas possibilidades que devem ser aproveitadas no engrandecimento da vida e do tempo, glorificando o Pai. Quando a criatura, porém, guarda a bênção do Céu e nada realiza de bom em favor dos semelhantes e em benefício de si mesma, assemelha-se ao avarento que se precipita no inferno da sede e da fome, no intuito de esconder, indebitamente, a riqueza que Deus lhe emprestou. Por isso mesmo, a fé que não ajuda, não instrui e nem consola não passa de escura vaidade do coração.

Pesado silêncio desceu sobre todos, e André baixou os olhos tímidos para melhor fixar a mensagem de luz.

33

O apelo divino

Reunidos os componentes habituais do grupo doméstico, o Senhor, de olhos melancólicos e lúcidos, surpreendendo, talvez, alguma nota de oculta revolta no coração dos ouvintes, falou sublime:

— Amados, quem procura o sol do Reino Divino há de armar-se de amor para vencer na grande batalha da luz contra as trevas. E, para armazenar o amor no coração, é indispensável ampliar as fontes da piedade.

"Compadeçamo-nos dos príncipes; quem se eleva muito alto, sem apoio seguro, pode experimentar a queda em desfiladeiros tenebrosos.

"Ajudemos os escravos; quem se encontra nos espinheiros do vale pode perder-se na inconformação antes de subir a montanha redentora.

"Auxiliemos a criança; a erva tenra pode ser crestada antes do sol do meio-dia.

"Amparemos o velhinho; nem sempre a noite aparece abençoada de estrelas.

"Estendamos mãos fraternas ao criminoso da estrada; o remorso é um vulcão devastador.

"Ajudemos aquele que nos parece irrepreensível; há uma justiça infalível, acima dos círculos humanos, e nem sempre quem morre santificado aos olhos das criaturas surge santificado no Céu.

"Amparemos quem ensina; os mestres são torturados pelas próprias lições que transmitem aos outros.

"Socorramos aquele que aprende; o discípulo que estuda sem proveito adquire pesada responsabilidade diante do Eterno.

"Fortaleçamos quem é bom; na Terra, a ameaça do desânimo paira sobre todos.

"Ajudemos o mau; o espírito endurecido pode fazer-se perverso.

"Lembremo-nos dos aflitos, abraçando-os fraternalmente; a dor, quando incompreendida, transforma-se em fogueira de angústia.

"Auxiliemos as pessoas felizes; a tempestade costuma surpreender com a morte os viajores desavisados.

"A saúde reclama cooperação para não se arruinar.

"A enfermidade precisa de remédio para extinguir-se.

"A administração pede socorro para não se desmandar.

"A obediência exige concurso amigo para subtrair-se ao desespero.

"Enquanto o Reino do Senhor não brilhar no coração e na consciência das criaturas, a Terra será uma escola para os bons, um purgatório para os maus e um hospital doloroso para os doentes de toda sorte.

"Sem a lâmpada acesa da compaixão fraternal, é impossível atender à Vontade divina.

"O primeiro passo da perfeição é o entendimento com o auxílio justo..."

Interrompeu-se o Mestre, ante os companheiros emudecidos.

E porque os ouvintes se conservassem calados, de olhos marejados de pranto, Ele voltou à palavra, em prece, e suplicou ao Pai luz e socorro, paz e esclarecimento para ricos e pobres, senhores e escravos, sábios e ignorantes, bons e maus, grandes e pequenos...

Quando terminou a rogativa, as brisas do lago se agitaram, harmoniosas e brandas, como se a Natureza as colocasse em movimento na direção do Céu para conduzirem a súplica de Jesus ao trono do Pai, além das estrelas...

34

A serva escandalizada

Ante as exclamações de Dalila, a esposa de Azor, o tecelão, quanto às maldades de alguns publicanos de mau nome que a haviam desrespeitado em praça pública, justamente quando procurava praticar o bem, relatou Jesus com simplicidade:

— Piedosa mulher, desejando ser mensageira do Reino Divino na Terra, bateu às portas do paraíso, rogando trabalho.

"Foi atendida, cuidadosamente, por um anjo que lhe recomendou que visitasse uma taberna para salvar dois homens bons, desprevenidos, que se haviam deixado embriagar, dominados por insinuações insufladas por Espíritos das trevas.

"No dia seguinte, porém, a enviada reapareceu, chorosa, explicando ao ministro do Eterno que lhe não fora possível satisfazer-lhe à determinação, porque o recanto indicado jazia repleto de jogadores a trocarem palavras obscenas e cruéis.

"O anjo, então, mandou-a a um esconderijo em floresta próxima, a fim de socorrer uma criança desamparada.

"No outro dia, porém, a emissária regressou, alegando que não lhe fora exequível o trabalho, porque a furna ocultava vários homens e mulheres seminus a lhe ferirem o pudor feminino.

"O administrador celeste, sem desanimar, designou-a para auxiliar uma senhora agonizante, mas, decorridas poucas horas, a colaboradora voltou, ruborizada, ao ponto de origem, informando que não pudera nem mesmo penetrar o quarto da enferma, porque na antecâmara o esposo da doente, palestrando com certa mulher de baixa procedência, projetava um assassínio para a noite próxima.

"O prestimoso ministro do Alto, embora com algum desapontamento, determinou-lhe o auxílio a dois homens dementes situados em extenso vale de imundos.

"No dia imediato, a serva escandalizada retornava célere, esclarecendo que não conseguira alcançar o objetivo, porquanto os loucos viviam impressionados com cenas de vida impura, a lhe causarem extrema repugnância.

"O preposto do Altíssimo, depois de ouvi-la com manifesta estranheza, pediu-lhe para amparar uma jovem que se achava em perigo, mas, em breve, regressava a cooperadora sensitiva, exclamando que a criatura mencionada podia ser vista numa festa desregrada, em repulsiva condição moral.

"E assim a candidata ao trabalho celeste atravessou a semana inutilmente, cultivando a ineficiência, sob variados pretextos.

"Todavia, procurando de novo o anjo para solicitar-lhe serviço, dele ouviu a exortação de que se fizera merecedora:

"'Minha irmã, continue, por enquanto, desenvolvendo o seu esforço nas vulgaridades da Terra.'

"'Oh! e por quê?', indagou, perplexa. 'Não mereço abeirar-me da vida mais alta?'

"'Seus olhos estão cheios de malícia', elucidou o ministro, tolerante, e, 'para servir ao Senhor, o servo do bem retifica o escândalo, com amor e silêncio, sem se escandalizar.'"

Calou-se o Mestre por minutos longos; depois, concluiu sem afetação:

— Quem se demora na contemplação do mal não está em condições de fazer o bem.

Os circunstantes entreolharam-se espantadiços, e a oração final do culto doméstico foi pronunciada, enquanto lá fora a Lua muito alva, desfazendo a treva noturna, simbolizava radioso convite do Céu ao sublime combate pela vitória da luz.

35
A necessidade de entendimento

Um dos companheiros trazia ao culto evangélico enorme expressão de abatimento.

Ante as indagações fraternas do Senhor, esclareceu que fora rudemente tratado na via pública. Vários devedores, por ele convidados a pagamento, responderam com ingratidão e grosseria.

Não se internou o Cristo por meio da consolação individual, mas, exortando evidentemente todos os companheiros, narrou benevolente:

— Um grande explicador dos textos de Jó possuía singulares disposições para os serviços da compreensão e da bondade e, talvez por isso, organizou uma escola em que pontificava com indiscutível sabedoria.

"Amparando, certa ocasião, um aprendiz irrequieto que frequentes vezes se lamuriava de maus-tratos que recebia na praça pública, saiu pacientemente em companhia do discípulo, pelas ruas de Jerusalém, implorando esmolas para determinados serviços do templo.

"A maioria dos transeuntes dava ou negava, com indiferença, mas, numa esquina movimentada, um homem vigoroso respondeu-lhes à rogativa com aspereza e zombaria.

"O mestre tomou o aprendiz pela mão e ambos o seguiram, cuidadosos. Não andaram muito tempo e viram-no cair ao solo, ralado de dor violenta, provocando o socorro geral. Verificaram, em breve, que o irmão irritado sofria de cólicas mortais.

"Demandaram adiante, quando foram defrontados por um cavalheiro que nem se dignou responder-lhes à súplica, endereçando-lhes tão somente um olhar rancoroso e duro.

"Orientador e tutelado acompanharam-lhe os passos e, quando a estranha personagem alcançou o domicílio que lhe era próprio, repararam que compacto grupo de pessoas chorosas o aguardava, grupo esse ao qual se uniu em copioso pranto, informando-se os dois de que o infeliz retinha no lar uma filha morta.

"Prosseguiram esmolando na via pública e, a estreito passo, receberam fortes palavrões de um rapaz a quem se haviam dirigido. Retraíram-se ambos, em expectativa, verificando, depois de meia hora de observação, que o mísero não passava de um louco.

"Em seguida, ouviram atrevidas frases de um velho que lhes prometia prisão e pedradas; mas, decorridas algumas horas, souberam que o infortunado era simplesmente um negociante falido, que se convertera de senhor em escravo, em razão de débitos enormes.

"Como o dia declinasse, o respeitável instrutor convocou o discípulo ao regresso e ponderou:

"'Guardaste a lição? Aceita a necessidade do entendimento por sagrado imperativo da vida. Nunca mais te queixes daqueles que exibem expressões de revolta ou desespero nas ruas. O primeiro que nos surgiu à frente era enfermo vulgar; o segundo guardava a morte em casa; o terceiro padecia loucura, e o quarto experimentava a falência. Na maioria dos casos, quem nos recebe de mau humor permanece em estrada muito mais escura e mais espinhosa que a nossa.'"

E, completando o ensinamento, terminou o Senhor, diante dos companheiros espantados:

— Quando encontrarmos os portadores da aflição, tenhamos piedade e auxiliemo-los na reconquista da paz íntima. O touro retém os chifres, por não haver atingido, ainda, o dom das asas. Reclamamos, comumente, contra a ovelha que nos perturba o repouso, balindo, atormentada; todavia, raramente nos lembramos de que o pobre animal vai seguindo, sob laço pesado, a caminho do matadouro.

36
O problema difícil

Entre os comentários da noite, um dos companheiros mostrou-se interessado em conhecer a questão mais difícil de resolver nos serviços referentes à procura da Luz divina.

Em que setor da luta espiritual se colocaria o mais complicado problema?

Depois de assinalar variadas considerações acerca do assunto, o Mestre fixou no semblante uma atitude profundamente compreensiva e contou:

— Um grande sábio possuía três filhos jovens, inteligentes e consagrados à sabedoria. Em certa manhã, eles altercavam a propósito do obstáculo mais difícil de vencer no grande caminho da vida.

"No auge da discussão, prevendo talvez consequências desagradáveis, o genitor benevolente chamou-os a si e confiou-lhes curiosa tarefa.

"Iriam os três ao palácio do príncipe governante, conduzindo algumas dádivas que muito lhes honraria o espírito de cordialidade e gentileza.

"O primeiro seria o portador de rico vaso de argila preciosa.

"O segundo levaria uma corça rara.

"O terceiro transportaria um bolo primoroso da família.

"O trio fraterno recebeu a missão com entusiástica promessa de serviço para a pequena viagem de três milhas; no entanto, no meio do caminho, principiaram a discutir.

"O depositário do vaso não concordou com a maneira pela qual o irmão puxava a corça delicada, e o responsável pelo animal dava instruções ao carregador do bolo, a fim de que não tropeçasse, perdendo o manjar; este último aconselhava o portador do vaso valioso, para que não caísse.

"O pequeno séquito seguia, estrada afora, dificilmente, porquanto cada viajor permanecia atento a obrigações que diziam respeito aos outros, com observações acaloradas e incessantes.

"Em dado momento, o irmão que conduzia o animalzinho olvida a própria tarefa, a fim de consertar a posição da peça de argila nos braços do companheiro, e o vaso, premido pelas inquietações de ambos, escorrega, de súbito, para espatifar-se no cascalho poeirento.

"Com o choque, o distraído orientador da corça perde o governo do animal, que foge espantado, abrigando-se em floresta próxima.

"O carregador do bolo avança para sustar-lhe a fuga, internando-se pelo mato adentro, e o conteúdo de prateada bandeja se perde totalmente no chão.

"Desapontados e irritadiços, os três rapazes tornam à presença paterna, apresentando cada qual a sua queixa e a sua derrota.

"O sábio, porém, sorriu e explicou-lhes:

"'Aproveitem o ensinamento da estrada. Se cada um de vocês estivesse vigilante na própria tarefa, não colheriam as sombras do fracasso. O mais intrincado problema do mundo, meus filhos, é o de cada homem cuidar dos próprios negócios, sem intrometer-se nas atividades alheias. Enquanto cogitamos de responsabilidades que competem aos outros, as nossas viverão esquecidas.'"

Jesus calou-se, pensativo, e uma prece de amor e reconhecimento completou a lição.

37
O filho ocioso

Reportava-se a pequena assembleia a variados problemas da fé em Deus, quando Jesus, tomando a palavra, narrou complacente:

— Um grande soberano possuía vastos domínios. Terras, rios, fazendas, pomares e rebanhos eram incontáveis em seu reino prodigioso. Vassalos inúmeros serviam-lhe a casa, em todas as direções. Alguns deles nunca se perdiam dos olhos do senhor, de maneira absoluta. De tempos em tempos, visitavam-lhe a residência, ofereciam-lhe préstimos ou traziam-lhe flores de ternura, recebendo novos roteiros de trabalho edificante. Outros, porém, viviam a bel-prazer nas florestas imensas. Estimavam a liberdade plena com declarada indisciplina. Eram verdadeiros perturbadores do vasto império, porquanto, em vez de ajudarem a Natureza, desprezavam-na sem comiseração. Matavam animais pelo simples gosto da caça, envenenavam as águas para assassinarem os peixes em massa, perseguiam as aves ou queimavam as plantações dos servos fiéis, não obstante saberem, no íntimo, que deviam obediência ao poderoso senhor.

"Um desses servidores levianos e ociosos não regateava sua crença na existência e na bondade do rei. Depois de longas aventuras na mata, exterminando aves indefesas, quando o estômago jazia farto, costumava comentar a fé que depositava no rico proprietário de extenso e valioso domínio. Um soberano tão previdente quanto aquele que soubera dispor das águas e das terras, das árvores e dos rebanhos, devia ser muito sábio e justiceiro — explanava consciente. Sutilmente, todavia, escapava-lhe a todos os decretos. Pretendia viver a seu modo, sem qualquer imposição, mesmo daquele que lhe confiara o vale em que consumia a existência regalada e feliz.

"Decorridos muitos anos, quando as suas mãos já não conseguiam erguer a menor das armas para perturbar a Natureza, quando os olhos embaciados não mais enxergavam a paisagem com a mesma clareza da juventude, inclinando-se-lhe o corpo, cansado e triste, para o solo, resolveu procurar o senhor, a fim de pedir-lhe proteção e arrimo.

"Atravessou lindos campos, nos quais os servos leais, operosos e felizes cultivavam o chão da propriedade imensa, e chegou ao iluminado domicílio do soberano.

"Experimentando aflitivo assombro, reparou que os guardas do limiar não lhe permitiam o suspirado ingresso, porque seu nome não constava no livro de servidores ativos.

"Implorou, rogou, gemeu; no entanto, uma das sentinelas lhe observou:

"'O tempo disponível do rei é consagrado aos cooperadores.'

"'Como assim?' — bradou o trabalhador imprevidente. 'Eu sempre acreditei na soberania e na bondade do nosso glorioso ordenador...'

"O guarda, contudo, redarguiu sem pestanejar:

"'Que te adiantava semelhante convicção, se fugiste aos decretos de nosso soberano, gastando precioso tempo em perturbar-lhe as obras? O teu passado está vivo em tua própria condição... Em que te servia a confiança no senhor, se nunca vieste a ele trazendo um minuto de colaboração em benefício de todos? Observa-se, logo, que a tua crença era simples meio de acomodar a consciência com os próprios desvarios do coração.'

"E o servo, já comprometido pelos atos menos dignos, e de saúde arruinada, foi constrangido a começar toda a sua tarefa, de novo, de maneira a regenerar-se."

O Mestre calou-se, durante alguns momentos, e concluiu:
— Aqui temos a imagem de todo ocioso filho de Deus. O homem válido e inteligente que admite a existência do eterno Pai, que lhe conhece o poder, a justiça e a bondade, por meio da própria expressão física da Natureza, e que não o visita em simples oração, de quando em quando, nem lhe honra as leis com o mínimo gesto de amparo aos semelhantes, sem o mais leve traço de interesse nos propósitos do grande Soberano, poderá retirar alguma vantagem de suas convicções inúteis e mortas?

Com essa indagação que calou nos ouvidos dos presentes, o culto evangélico da noite foi expressivamente encerrado.

38
O argumento justo

À noite, em casa de Simão, transparecia um véu de tristeza na maioria dos semblantes.

Tadeu e André, atacados horas antes, às margens do lago, por alguns malfeitores, viram-se constrangidos à reação apressada. Não surgira consequência grave, mas sentiam-se ambos atormentados e irritadiços.

Quando Jesus começou a falar acerca da glória reservada aos bons, os dois discípulos deixaram transparecer, por pranto discreto, a amargura que lhes dominava a alma e, não podendo conter-se, Tadeu clamou aflito:

— Senhor, aspiro sinceramente a servir à Boa-Nova; contudo, sou portador de um coração indisciplinado e ingrato. Ouço, contrito, as explanações do Evangelho; lá fora, porém, no trato com o mundo, não passo de um Espírito renitente no mal. Lamento... Lamento... mas como trabalhar em favor da Humanidade nestas condições?

Embargando-se-lhe a voz, adiantou-se André, alegando, choroso:

— Mestre, que será de mim? Ao seu lado, sou a ovelha obediente; entretanto, ao distanciar-me... basta uma palavra insignificante de incompreensão para desarmar-me. Reconheço-me incapaz de tolerar o insulto ou a pedrada. Será justo prosseguir ensinando aos outros a prática do bem, imperfeito e mau qual me vejo?!

Calando-se André, interferiu Pedro, considerando:

— Por minha vez, observo que não passo de mísero Espírito endividado e inferior. Sou o pior de todos. Cada noite, ao me retirar para as orações habituais, espanto-me diante da coragem louca dentro da qual venho abraçando os atuais compromissos. Minha fragilidade é grande; meus débitos, enormes. Como servir aos princípios sublimes do novo reino, se me encontro assim, insuficiente e incompleto?

À palavra de Pedro, juntou-se a de Tiago, filho de Alfeu, que asseverou abatido:

— Na intimidade de minha própria consciência, reparo quão longe me encontro da Boa-Nova, verdadeiramente aplicada. Muita vez, depois de reconfortar-me ante as dissertações do Mestre, recolho-me ao quarto solitário para sondar o abismo de minhas faltas. Há momentos em que pavorosas desilusões me tomam de improviso. Serei na realidade um discípulo sincero? Não estarei enganando o próximo? Tortura-me a incerteza... Quem sabe se não passo de reles mistificador?

Outras vozes se fizeram ouvir no cenáculo, desalentadas e cheias de amargura.

Jesus, porém, após assinalar as opiniões ali enunciadas, entre o desânimo e o desapontamento, sorriu, tocado de bom humor, e esclareceu:

— Em verdade, o paraíso que sonhamos ainda vem muito longe e não vejo aqui nenhum companheiro alado. A meu parecer, os anjos, na indumentária celeste, ainda não encontram domicílio no chão áspero e escuro em que pisamos. Somos aprendizes do bem, a caminho do Pai, e não devemos menoscabar a bendita oportunidade de crescer para Ele, no mesmo impulso da videira que se eleva para o céu, depois de nascer no obscuro seio da terra, alastrando-se compassiva, para transformar-se em vinho reconfortante, destinado à alegria de todos. No entanto, se vocês se declaram fracos, devedores, endurecidos e maus e não são os primeiros a trabalhar para se fazerem fortes, redimidos, dedicados e bons em favor da obra geral de salvação, não me parece que os anjos devam descer da glória dos Cimos para substituir-nos no campo de lições da Terra. O remédio, antes de tudo, dirige-se ao doente; o ensino, ao ignorante... De outro modo, penso, a Boa-Nova de Salvação se perderia por inadequada e inútil...

As lágrimas dos discípulos transformaram-se em intenso rubor, a irradiar-se da fisionomia de todos, e uma oração sentida do Amigo divino imprimiu ponto final ao assunto.

39
O poder das trevas

Centralizando-se a palestra no estudo das tentações, contou Jesus, sorridente:

— Um valoroso servidor do Pai movimentava-se, galhardamente, em populosa cidade de pecadores, com tamanho devotamento à fé e à caridade que os Espíritos do mal se impacientaram contemplando tanta abnegação e desprendimento. Depois de lhe armarem os mais perigosos laços, sem resultado, enviaram um representante ao gênio das trevas, a fim de ouvi-lo a respeito.

"Um companheiro de consciência enegrecida recebeu a incumbência e partiu.

"O grande adversário escutou o caso atenciosamente e recomendou ao diabo menor que apresentasse sugestões.

"O subordinado falou com ênfase:

"'Não poderíamos despojá-lo de todos os bens?'

"'Isso, não' — disse o perverso orientador —; 'para um servo dessa têmpera a perda dos recursos materiais é libertação. Encontraria, assim, mil meios diferentes para aumentar suas contribuições à Humanidade.'

"'Então, castigar-lhe-emos a família, dispersando-a e constrangendo-lhe os filhos a enchê-lo de opróbrio e ingratidão...' — aventou o pequeno perturbador, reticencioso.

"O perseguidor maior, no entanto, emitiu gargalhada franca e objetou:

"'Não vês que, desse modo, se integraria facilmente com a família total que é a multidão?'

"O embaixador, desapontado, acentuou:

"'Será talvez conveniente lhe flagelemos o corpo; crivá-lo-emos de feridas e aflições.'

"'Nada disso' — acrescentou o gênio satânico —, 'ele acharia meios de afervorar-se na confiança e aproveitaria o ensejo para provocar a renovação íntima de muita gente, pelo exercício da paciência e da serenidade na dor.'

"'Movimentaremos a calúnia, a suspeita e o ódio gratuito dos outros contra ele!' — clamou o emissário.

"'Para quê?' — tornou o Espírito das sombras. 'Transformar-se-ia num mártir, redentor de muitos. Valer-se-ia de toda perseguição para melhor engrandecer-se diante do Céu.'

"Exasperado, agora, o demônio menor aduziu:

"'Será, enfim, mais aconselhável que o assassinemos sem piedade...'

"'Que dizes?' — redarguiu a Inteligência perversa — 'a morte ser-lhe-ia a mais doce bênção por reconduzi-lo às claridades do paraíso.'

"E vendo que o aprendiz vencido se calava humilde, o adversário maior fez expressivo movimento de olhos e aconselhou loquazmente:

"'Não sejas tolo. Volta e dize a esse homem que ele é um zero na Criação, que não passa de mesquinho verme desconhecido... Impõe-lhe o conhecimento da própria pequenez, a fim de que jamais se engrandeça, e verás...'

"O enviado regressou satisfeito e pôs em prática o método recebido.

"Rodeou o valente servidor com pensamentos de desvalia, acerca de sua pretendida insignificância e desfechou-lhe perguntas mentais como estas: 'Como te atreves a admitir algum valor em tuas obras destinadas ao pó? Não te sentes simples joguete de paixões inferiores da carne? Não te envergonhas da animalidade que trazes no ser? Que pode um grão de areia perdido no deserto? Não te reconheces na posição de obscuro fragmento de lama?'

"O valoroso colaborador interrompeu as atividades que lhe diziam respeito e, depois de escutar longamente as perigosas insinuações, olvidou que a oliveira frondosa começa no grelo frágil e deitou-se, desalentado, no leito do desânimo e da humilhação, para despertar somente na hora em que a morte lhe descortinava o infinito da vida."

Silenciou Jesus, contemplando a noite calma...

Simão Pedro pronunciou uma prece sentida e os apóstolos, em companhia dos demais, despediram-se, nessa noite, cismarentos e espantadiços.

40
O venenoso antagonista

Diante da noite, refrescada de brisas cariciantes, Filipe, de mãos calejadas, falou das angústias que lhe povoavam a alma, com tanta emotividade e amargura que aflitivas notas de dor empolgaram a assembleia. E interpelado pelo respeitoso carinho de Pedro, que voltou a tanger o problema das tentações, o Mestre contou pausadamente:

— O Senhor, nosso Pai, precisou de pequeno grupo de servidores numa cidade revoltada e dissoluta e, para isso, localizou no centro dela uma família de cinco pessoas: pai, mãe e três filhos, que o amavam e lhe honravam as Leis sábias e justas.

"Aí situados, os felizes colaboradores começaram por servi-lo brilhantemente.

"Fundaram ativo núcleo de caridade e fé transformadora que valia por avançada sementeira de vida celeste; e tanto se salientaram na devoção e na prática da bondade que o Espírito das trevas passou a mover-lhes guerra tenaz.

"A princípio, flagelou-os com os morcegos da maledicência; todavia, os servos sinceros se uniram na tolerância e venceram.

"Espalhou ao redor deles, logo após, as sombras da pobreza; contudo, os trabalhadores dedicados se congregaram no serviço incessante e superaram as dificuldades.

"Em seguida, atormentou-os com as serpentes da calúnia; entretanto, os heróis desconhecidos fizeram construtivo silêncio e derrotaram o escuro perseguidor.

"Depois de semelhantes ataques, o gênio satânico modificou as normas de ação e enviou-lhes os demônios da vaidade, que revestiram os servos fiéis do Senhor de vastas considerações sociais, como se houvessem galgado os pináculos do poder de um momento para outro; entretanto, os cooperadores previdentes se fizeram mais humildes e atribuíam toda a glória que os visitava ao Pai que está nos Céus.

"Foi então que os seres escarninhos e perversos encheram-lhes a casa de preciosidades e dinheiro, de modo a entorpecer-lhes a capacidade de trabalhar, mas o conjunto amoroso, robustecido na confiança e na prece, recebia moedas e dádivas, passando-as para diante, a serviço dos desalentados e dos aflitos.

"Exasperado, o Espírito das trevas mandou-lhes, então, o demônio da tristeza que, muito de leve, alcançou a mente do chefe da heroica família e disse-lhe solene:

"'És um homem, não um anjo... Não te envergonhas, pois, de falar tão insistentemente no Senhor, quando conheces, de perto, as próprias imperfeições? Busca, antes de tudo, sentir a extensão de tuas fraquezas na carne! Chora teus erros, faze penitência perante o Eterno! Clama tuas culpas, tuas culpas!'

"Registrando a advertência, o infeliz alarmou-se, esqueceu-se de que o homem só pode ser útil à grandeza do Pai por meio do próprio trabalho na execução dos celestes desígnios e, entristecendo-se profundamente, acreditou-se culpado e criminoso para sempre, de maneira irremediável. Desde o instante em que admitiu a incapacidade de reerguimento, recusou a alimentação do corpo, deitou-se e, decorridos alguns dias, morreu de pesar.

"Vendo-o desaparecer, sob compacta onda de lamentações e lágrimas, a esposa seguiu-lhe os passos, oprimida de inominável angústia, e os filhos, dentro de algumas semanas, trilharam a mesma rota.

"E assim o venenoso antagonista venceu os denodados colaboradores da crença e do amor, um a um, sem necessidade de outra arma que não fosse pequena sugestão de tristeza."

Interrompeu-se a palavra do Mestre, por longos instantes, mas nenhum dos presentes ousou intervir no assunto.

Sentindo, assim, que os companheiros preferiam guardar silêncio, o divino Amigo concluiu expressivamente:

— Enquanto um homem possui recursos para trabalhar e servir com os pés, com as mãos, com o sentimento e com a inteligência, a tristeza destrutiva em torno dele não é mais que a visita ameaçadora do gênio das trevas em sua guerra desventurada e persistente contra a luz.

41
O incentivo santo

Aberta a sessão de fraternidade em casa de Pedro, Tadeu clamou, irritado, contra as próprias fraquezas, asseverando perante o Mestre:

— Como ensinar a verdade se ainda me sinto inclinado à mentira? Com que títulos transmitir o bem, quando ainda me reconheço arraigado ao mal? Como exaltar a espiritualidade divina se a animalidade grita mais alto em minha própria natureza?

O companheiro não formulava semelhantes perguntas por espírito de desespero ou desânimo, mas sim pela enorme paixão do bem que lhe tomava o íntimo, a observar pela inflexão de amargura com que sublinhava as palavras.

Entendendo-lhe a mágoa, Jesus falou condescendente:

— Um santo aprendiz da Lei, desses que se consagram fielmente à Verdade, chamado pelo Senhor aos trabalhos da profecia entre os homens, mantinha-se na profissão de mercador de remédios, transportando ervas e xaropes curativos, da cidade para os campos, utilizando-se para isso de um jumento caprichoso e inconstante, quando, refletindo sobre os defeitos de que se via portador, passou a entristecer-se profundamente. Concluiu que não lhe cabia colaborar nas revelações do Céu, pelo estado de impureza íntima, e fez-se mudo. Atendia às obrigações de protetor dos doentes, mas recusava-se a instruir as criaturas, na divina palavra, não obstante as requisições do povo que já lhe conhecia os dotes de inteligência e inspiração.

"Sentindo, porém, que a celeste Vontade o constrangia ao desempenho da tarefa e reparando que os seus conflitos mentais se tornavam cada vez mais esmagadores, certa noite, depois de abundantes lágrimas, suplicou esclarecimento ao Todo-Poderoso.

"Sonhou, então, que um anjo vinha encontrá-lo em suas lides de mercador. Viu-se cavalgando o voluntarioso jumento, vergado ao peso de preciosa carga, em verdejante caminho, quando o emissário divino o interpelou, com bondade, em seguida às saudações habituais:

"'Meu amigo, sabes quantos coices desferiu hoje este animal?'

"'Muitíssimos' — respondeu sem vacilação.

"'Quantas vezes terá mordido os companheiros de estrebaria?' — prosseguiu o enviado sorridente. 'Quantas vezes terá insultado o asseio de tua casa e orneado despropositadamente?'

"E porque o discípulo aturdido não conseguisse responder de pronto, o anjo considerou:

"Entretanto, ele é um auxiliar precioso e deve ser conservado. Transporta medicamentos que salvam muitos enfermos, distribuindo esperança, saúde e alegria.'

"E, fitando os olhos lúcidos no pregador desalentado, rematou:

"Se este jumento, a pretexto de ser rude e imperfeito, se negasse a cooperar contigo, que seria dos enfermos a esperarem confiantes em ti? Volta à missão luminosa que abandonaste e, se te não é possível por agora servir a nosso Pai supremo na condição de um homem purificado, atende aos teus deveres, espalhando reconforto e bom ânimo, na posição do animal valioso e útil. Nas bênçãos do serviço, serás mais facilmente encontrado pelos mensageiros de Deus, os quais, reconhecendo-te a boa vontade nas realizações do amor, se compadecerão de ti, amparando-te a natureza e aprimorando-a, tanto quanto domesticas e valorizas o teu rústico, mas prestimoso auxiliar!'

"Nesse instante, o pregador viu-se novamente no corpo, acordado, e agora feliz em razão da resposta do Alto, que lhe reajustaria a errada conduta."

Surgindo o silêncio, o discípulo agradeceu ao Mestre com um olhar. E Jesus, transcorridos alguns minutos de manifesta consolação no semblante de todos, concluiu:

— O trabalho no bem é o incentivo santo da perfeição. Por meio dele, a alma de um criminoso pode emergir para o Céu, à maneira do lírio que desabrocha para a Luz, de raízes ainda presas no charco.

Em seguida, o Mestre pôs-se a contemplar as estrelas que faiscavam dentro da noite, enquanto Tadeu, comovido, aproximava-se, de manso, para beijar-lhe as mãos com doçura reverente.

42
A mensagem da compaixão

Dentro da noite clara, a assembleia familiar em casa de Pedro centralizara-se no exame das dificuldades no trato com as pessoas.

Como estender os valores da Boa-Nova? Como instalar o mesmo dom e a mesma bênção em mentalidades diversas entre si?

Findo o longo debate fraternal, em que Jesus se mantivera em pesado silêncio, João perguntou-lhe preocupado:

— Senhor, que fazer diante da calúnia que nos dilacera o coração?

— Tem piedade do caluniador e trabalha no bem de todos — respondeu o celeste Mentor, sorrindo —, porque o amor desfaz as trevas do mal, e o serviço destrói a ideia desrespeitosa.

— Mestre — ajuntou Tiago, filho de Zebedeu —, e como agir perante aquele que nos ataca brutalmente?

— Um homem que se conduz pela violência — acentuou o Cristo bondoso —, deve estar louco ou envenenado. Auxiliemo-lo a refazer-se.

— Senhor — aduziu Judas, mostrando os olhos esfogueados —, e quando o homem que nos ofende se reveste de autoridade respeitável, qual seja a dum príncipe ou dum sacerdote, com todas as aparências do ordenador consciente e normal?

— A serpente pode ocultar-se num ramo de flores e há vermes que se habituam nos frutos de bela apresentação. O homem de elevada categoria que se revele violento e cruel é enfermo, ainda assim. Compadece-te dele, porque dorme num pesadelo de escuras ilusões, do qual será constrangido a despertar um dia. Ampara-o como puderes e marcha em teu caminho, agindo na felicidade comum.

— Mestre, e quando a nossa casa é atormentada por um crime? Como procederei diante daquele que me atraiçoa a confiança, que me desonra o nome ou me ensanguenta o lar?

— Apieda-te do delinquente de qualquer classe — elucidou Jesus — e não desejes violar a Lei que o próximo desrespeitou, porque o perseguidor e o criminoso de todas as situações carrega consigo abrasadora fogueira. Uma falta não resgata outra falta e o sangue não lava sangue. Perdoa e ajuda. O tempo está encarregado de retribuir a cada criatura, de acordo com o seu esforço.

— Mestre — atalhou Bartolomeu —, que fazer do juiz que nos condena com parcialidade?

— Tem compaixão dele e continua cooperando no bem de todos os que te cercam. Há sempre um juiz mais alto, analisando aqueles que censuram ou amaldiçoam e, além de um horizonte, outros horizontes se desdobram, mais dilatados e luminosos.

— Senhor — indagou Tadeu —, como proceder diante da mulher que amamos, quando se entrega às quedas morais?

Jesus fitou-o com brandura, e inquiriu, por sua vez:

— Os sofrimentos íntimos que a dilaceram, dia e noite, não constituirão, por si sós, aflitiva punição?

Fez-se balsâmico silêncio no círculo doméstico e, logo ao perceber que os aprendizes haviam cessado as interrogações, o Senhor concluiu:

— Se pretendemos banir os males do mundo, cultivemos o amor que se compadece no serviço que constrói para a felicidade de todos. Ninguém se engane. As horas são inflexíveis instrumentos da Lei que distribui a cada um, segundo as suas obras. Ninguém procure sanar um crime praticando outros crimes, porque o tempo tudo transforma na Terra, operando com as labaredas do sofrimento ou com o gelo da morte.

43
A glória do esforço

Relacionava Tiago, filho de Alfeu, as dificuldades naturais na preparação do discípulo, quando várias opiniões se fizeram ouvir sobre os percalços do aprimoramento.

É quase impossível praticar as lições da Boa-Nova no mundo avesso à bondade, à renúncia e ao perdão — concluíam os aprendizes de maneira geral. A maioria das criaturas compraz-se na avareza ou no endurecimento.

Registrava o Mestre a conceituação expendida pelos companheiros, em significativa quietude, quando Pedro o convocou diretamente ao assunto.

Jesus refletiu alguns instantes e ponderou:

— Entre ensino e aproveitamento, tudo depende do aprendiz.

E, a seguir, falou com brandura:

— Existiu no tempo de Davi um grande artista que se especializara na harpa com tamanha perfeição que várias pessoas importantes vinham de muito longe a fim de ouvi-lo. Grandes senhores com as suas comitivas descansavam, de quando em quando, junto à moradia dele, cercada de arvoredo, para escutar-lhe as sublimes improvisações. O admirável mestre fez renome e fortuna, parecendo a todos que ninguém o igualaria na Terra na expressão musical a que se consagrara.

"Em seus saraus e exibições, possuía em seu serviço pessoal um escravo aparentemente inábil e atoleimado, que servia água, doce e frutas aos convivas e que jamais conversava, fixando toda a atenção no instrumento divino, como se vivesse fascinado pelas mãos que o tangiam.

"Muitos anos correram quando, certa noite, o artista volta, de inesperado, ao domicílio, findo o banquete de um amigo nas vizinhanças e, com indizível espanto, assinala celeste melodia no ar.

"Alguém tocava magistralmente em sua casa solitária, qual se fora um anjo exilado no mundo.

"Quem seria o estrangeiro que lhe tomara o lugar?

"Em lágrimas de emoção por pressentir a existência de alguém com ideal artístico muito superior ao dele, avança devagar para não ser percebido e, sob intraduzível assombro, verificou que o harpista maravilhoso era o seu velho escravo tolo que, usando os minutos que lhe pertenciam por direito e sem incomodar a ninguém, exercitava as lições do senhor, às quais emprestava, desde muito tempo, todo o seu vigilante amor em comovido silêncio.

"Foi então que o artista magnânimo e famoso libertou-o e conferiu-lhe a posição que por justiça merecia."

Diante da estranheza dos discípulos que se calavam confundidos, o Mestre rematou:

— A aquisição de qualidades nobres é a glória infalível do esforço. Todo homem e toda mulher que usarem as horas de que dispõem na harpa da vida, correspondendo à sabedoria e à beleza com que nosso Pai se manifesta, em todos os quadros do mundo, depressa lhe absorverão a grandeza e as sublimidades, convertendo-se em representantes do Céu para seus irmãos em Humanidade. Quando a criatura, porém, somente trabalha na cota de tempo que lhe é paga pelas mordomias da Terra, sem qualquer aproveitamento das largas concessões de horas que a divina Bondade lhe concede no corpo, nada mais receberá além da remuneração transitória do mundo.

44
A lição do essencial

Discorriam os discípulos, entre si, sobre as coisas essenciais ao bem-estar, quando o Senhor, assumindo a direção dos pensamentos em dissonância, acrescentou:

— É indispensável que a criatura entenda a própria felicidade para que se não transforme, ao perdê-la, em triste fantasma da lamentação. Longe das verdades mais simples da Natureza, mergulha-se o homem na onda pesada de fantasiosos artifícios, exterminando o tempo e a vida, por meio de inquietações desnecessárias.

E, como quem recordava incidente adequado ao assunto, interrompeu-se por alguns instantes e retomou a palavra, comentando:

— Ilustre dama romana, em companhia dum filhinho de 5 anos, dirigia-se da cidade dos césares para Esmirna, em luxuosa galera de sua pátria. Ao penetrar na embarcação, fizera-se acompanhar de dois escravos, carregados de volumosa bagagem de joias diferentes: colares e camafeus, braceletes e redes de ouro, adornados com pedrarias, revelavam-lhe a predileção pelos enfeites raros. Todo o pessoal de serviço inclinou-se, com respeito, ao vê-la passar, tão elevada era a expressão do tesouro que trazia para bordo.

"Tão logo se fez o barco ao mar alto, a distinta senhora converteu-se no centro das atenções gerais. Nas festas de cordialidade, era o objetivo de todos os interesses pelos adornos brilhantes com que se apresentava.

"A excursão prosseguia tranquila, quando, em certa manhã ensolarada, apareceu o imprevisto. O choque em traiçoeiro recife abre extensa brecha na galera e as águas a invadem. Longas horas de luta surgem com a expectativa de refazimento; entretanto, um abalo mais forte leva o navio à posição irremediável e alguns botes descidos são colocados à disposição dos viajantes para os trabalhos de salvamento possível.

"A ilustre patrícia é chamada à pressa.

"O comandante calcula a chegada a porto próximo em dois dias de viagem arriscada, na hipótese de ventos favoráveis.

"A jovem matrona abraça o filhinho, esperançosa e aflita. Dentro em pouco ela atinge o pequeno barco de socorro, sustentando a criança e pequeno pacote em que os companheiros julgaram trouxesse as joias mais valiosas. Todavia, apresentando o conteúdo aos poucos irmãos de infortúnio que seguiriam junto dela, exclamou:

"'Meu filho é o que possuo de mais precioso e aqui tenho o que considero de mais útil.' O insignificante volume continha dois pães e dez figos maduros, com os quais se alimentou a reduzida comunidade de náufragos durante as horas aflitivas que os separavam da terra firme."

O Mestre repousou, por alguns segundos, e acrescentou:

— A felicidade real não se fundamenta em riquezas transitórias, porque um dia sempre chega em que o homem é constrangido a separar-se dos bens exteriores mais queridos ao coração. Os loucos se apegam a terras e moinhos, moedas e honras, vinhos e prazeres, como se nunca devessem acertar contas com a morte. O espírito prudente, porém, não desconhece que todos os patrimônios do mundo devem ser usados para nosso enriquecimento na virtude e que as bênçãos mais simples da Natureza são as bases de nossa tranquilidade essencial. Procuremos, pois, o Reino de Deus e sua justiça, tomando à Terra o estritamente necessário à manutenção da vida física, e todas as alegrias ser-nos-ão acrescentadas.

45
O imperativo da ação

Explanavam os aprendizes, acaloradamente, sobre as necessidades de preparação para o Reino Divino.

Filipe, circunspecto, salientava o impositivo da meditação. Tiago, o mais velho, opinava pelo retiro espiritual; os discípulos do movimento renovador, a seu ver, deviam isolar-se em zona inacessível ao pecado. João optava pela adoração constante, chegando ao extremo de sugerir o abandono das atividades profissionais, por parte de cada um, a fim de poderem entoar hosanas contínuos ao Pai amantíssimo. Bartolomeu destacava a necessidade do jejum incessante, com abstenção de todo contato com as pessoas impuras.

Chamado à manifestação direta pela palavra indagadora de Simão, Jesus perguntou nominalmente:

— Pedro, qual é a água que desprende miasmas pestilenciais?

— Sem dúvida — respondeu o apóstolo, intrigado —, é a água estagnada, sem proveito.

Sorridente, dirigiu-se ao filho de Alfeu, indagando:

— Tiago, qual é o peixe que flutua inerte na onda?

— É o peixe morto, Senhor — redarguiu o discípulo, desapontado.

— Bartolomeu, qual é a terra que se enche de matagais daninhos à plantação útil?

O interpelado pensou, pensou e esclareceu:

— Indiscutivelmente, é a terra boa desprezada, porque o solo empedrado e áspero é quase sempre estéril.

O Mestre, evidenciando sincera satisfação, concentrou a atenção em Tadeu e inquiriu:

— Tadeu, qual é a túnica que se converte em ninho da traça destruidora?

— É a túnica não usada.

Endereçando expressivo gesto a Judas, interrogou:

— Que acontece ao talento sepultado?

— Perde-se por inútil, Senhor.

Logo após, assinalou com o olhar um dos filhos de Zebedeu e falou, mais incisivo:

— Tiago, onde se acoitam as serpentes e os lobos?

— Nos lugares em ruína ou votados ao abandono.

— André — disse o Cristo, fixando o irmão de Pedro —, qual é, em verdade, a função do fermento?

— Mestre, a missão do fermento é dar vida ao pão.

Em seguida, pousando nos companheiros o olhar penetrante e doce, acrescentou bem-humorado:

— O templo está repleto de adoradores, e a miséria rodeia Jerusalém. Se a luz não serve para expulsar as trevas, se o pão deve fugir ao faminto e se o remédio precisa distanciar-se do enfermo, onde encontraremos proveito no trabalho a que nos propomos? O Reino Divino guarda o imperativo da ação por ordem fundamental. Sigamos para diante e propaguemos a verdade salvadora, por meio dos pensamentos, das palavras, das obras e de nossas próprias vidas. O Todo-Sábio criou a semente para produzir com o infinito. Desce do alto a claridade do Sol cada dia para extinguir as sombras da Terra. Não é outro o ministério da Boa-Nova. Amar, servindo, é venerar o Pai, acima de todas as coisas; e servir, amando, é amparar o próximo como a nós mesmos. Pautar-se por essas normas, em nosso movimento de redenção, é praticar toda a Lei.

46
A árvore preciosa

Salientando o Senhor que a construção do Reino Divino seria obra de união fraternal entre todos os homens de boa vontade, o velho Zebedeu, que amava profundamente os apólogos do Cristo, pediu-lhe alguma narrativa simbólica por meio da qual a compreensão se fizesse mais clara entre todos.
Jesus, benévolo como sempre, sorriu e contou:
— Viviam os homens em permanentes conflitos, acompanhados de miséria, perturbação e sofrimento, quando o Pai compadecido lhes enviou um mensageiro, portador de sublimes sementes da Árvore da Felicidade e da Paz. Desceu o anjo com o régio presente e, congregando os homens para a entrega festiva, explicou-lhes que o vegetal glorioso produziria flores de luz e frutos de ouro, no futuro, apagando todas as dissensões, mas reclamava cuidados especiais para fortalecer-se. Germinando, era imprescindível a colaboração de todos nos cuidados excepcionais do amor e da vigilância.

"As sementes requeriam terra conveniente, aperfeiçoado sistema de irrigação, determinada classe de adubo, proteção incessante contra insetos daninhos e providências diversas, nos tempos laboriosos do início; a planta, contudo, era tão preciosa em si mesma que bastaria um exemplar vitorioso para que a paz e a felicidade se derramassem, benditas, sobre a comunidade em geral. Seus ramos abrigariam a todos, seu perfume envolveria a Terra em branda harmonia, e seus frutos, usados pelas criaturas, garantiriam o bem-estar do mundo inteiro.

"Finda a promessa e depois de confiadas ao povo as sementes milagrosas, cada circunstante se retirou para o domicílio próprio, sonhando possuir, egoisticamente, a árvore das flores de luz e dos frutos de ouro. Cada qual pretendia a preciosidade para si, em caráter de exclusividade. Para isso, cerraram-se, apaixonadamente, nas terras que dominavam, experimentando a sementeira e suspirando pela posse pessoal e absoluta de semelhante tesouro, simplesmente por vaidade do coração.

"A árvore, todavia, a fim de viver, reclamava concurso fraterno total, e os atritos ruinosos continuaram.

"As sementes, pela natureza divina que as caracterizava, não se perderam; entretanto, se alguns cultivadores possuíam água, não possuíam adubo, e os que retinham o adubo não dispunham de água farta. Quem detinha recursos para defender-se contra os vermes não encontrava acesso à gleba conveniente, e quem se havia apoderado do melhor solo não contava com possibilidades de vigilância. E tanto os senhores provisórios da água e do adubo, da terra e dos elementos defensivos, quanto os demais candidatos à posse da riqueza celeste, passaram a lutar, em desequilíbrio pleno, exterminando-se reciprocamente."

O Mestre fez longo intervalo na curiosa narrativa e acrescentou:

— Este é o símbolo da guerra improfícua dos homens em derredor da felicidade. Os talentos do Pai foram concedidos aos filhos, indistintamente, para que aprendam a desfrutar os dons eternos, com entendimento e harmonia. Uns possuem a inteligência, outros, a reflexão; uns guardam o ouro da terra, outros, o conhecimento sublime; alguns retêm a autoridade, outros, a experiência; todavia, cada um procura vencer sozinho não para disseminar o bem com todos, por meio do heroísmo na virtude, mas para humilhar os que seguem à retaguarda.

E, fitando Zebedeu de modo significativo, finalizou:

— Quando a verdadeira união se fizer espontânea, entre todos os homens no caminho redentor do trabalho santificante do bem natural, então o Reino do Céu resplandecerá na Terra, à maneira da árvore divina das flores de luz e dos frutos de ouro.

O velho galileu sorriu, satisfeito, e nada mais perguntou.

47
O educador conturbado

Comentava André, o apóstolo prestativo, as dificuldades para afeiçoar-se às verdades novas, quando Jesus narrou para a edificação de todos:

— Um homem, singularmente forte, que se especializara em variados serviços de reparação e reajustamento, foi convidado por um anjo a consertar um aleijado que aspirava ao ingresso no paraíso e aceitou a tarefa.

"Avizinhou-se do enfermo, de martelo em punho, e, não obstante os gritos e lágrimas que a sua obra arrancava do infeliz, aprimorando-o, dia a dia, cumpriu o prometido.

"O mensageiro divino, satisfeito, rogou-lhe a contribuição no aperfeiçoamento de uma velha coxa que desejava ardentemente a entrada na Corte celeste.

"O trabalhador robusto, indiferente aos gemidos da anciã, impôs-lhe a disciplina curativa e, gradativamente, colocou-a em condições de subir às esferas sublimes.

"O ministro do Alto, jubiloso, solicitou-lhe o concurso no refazimento de um homem chagado e aflito que anelava a beatitude edênica.

"O consertador não hesitou.

"Absolutamente inacessível aos petitórios do infortunado, queimou-lhe as úlceras com atenção e rigor, pondo-o em posição de elevar-se.

"Terminada a tarefa, o anjo retornou e requisitou-lhe a cooperação em benefício de um jovem perdido em maus costumes.

"O restaurador tomou o rapaz à sua conta e deu-lhe trabalho e contenção, com tamanho tirocínio que, em tempo breve, a tarefa se fazia completa.

"E, assim, o emissário de cima pediu-lhe colaboração em diversos casos complexos de reestruturação física e moral, até que, um dia, o emérito educador, entediado da existência imperfeita na Terra, implorou ao administrador angélico a necessária permissão para seguir em companhia dele, na direção do Céu.

"O embaixador sublime revistou-o minuciosamente e informou que também ele devia preparar-se com vistas ao grande cometimento; mostrou-lhe os pés irregulares, os braços deficientes e os olhos defeituosos, e rogou, dessa vez, reajustasse ele a si mesmo, a fim de elevar-se.

"O disciplinador começou a obra de autoaprimoramento, esperançoso e otimista; entretanto, o seu antigo martelo lhe feria agora tão rudemente a própria carne que ele, em vez de consertar os pés, os braços e os olhos, caiu a contorcer-se no chão, desditoso e revoltado, proferindo blasfêmias e vomitando injúrias contra Deus e o mundo, quase paralítico e quase cego.

"Ele mesmo não suportara o regime de salvação que aplicara aos outros e o próprio anjo amigo, ao reencontrá-lo, com extrema dificuldade o identificou, tão diferente se achava.

"Findo o longo exame a que submeteu o infortunado, o mensageiro do Eterno não teve outro recurso senão confiá-lo a outros educadores para que o reajustamento necessário se fizesse com o mesmo rigor salutar com que funcionara para os outros, a fim de que o notável consertador se aperfeiçoasse convenientemente, para, então, ingressar no paraíso."

Diante da estranheza que senhoreara o ânimo dos presentes, o Senhor concluiu:

— Usemos de paciência e amor em todas as obras de corrigenda e aprendamos a suportar as medidas com que buscamos melhorar a posição daqueles que nos cercam, porque para cada Espírito chega sempre um momento em que deve ser burilado, com eficiência e segurança, para a Luz divina.

48
O proveito comum

Dentro da noite muito clara, os companheiros reunidos em casa de Pedro comentavam as dificuldades na divulgação das ideias redentoras.

Muita gente se valia do socorro de Jesus, buscando vantagens próprias. Certo negociante provocava o ajuntamento popular em determinada região da praia, a fim de estimular a venda de vinhos; carroceiros vulgares intensificavam a propaganda do reino celeste, nas cercanias, não com o objetivo de se tornarem melhores, mas para alugarem veículos diversos a doentes de longe, interessados na assistência do Mestre.

O parecer de quase todos os apóstolos era inquietante e desalentador.

Foi quando o divino Amigo, tomando a palavra, explanou:

— Certo filósofo, mergulhado nos estudos da Revelação divina, possuía um discípulo que nunca se conformava com a incompreensão do povo a respeito das verdades celestes. Inflamava-se, de minuto a minuto, contra os maus, os ingratos ou os hipócritas, que abusavam dos elevados ensinamentos de que se via portador.

"O mestre ouvia-o e guardava silêncio, até que, numa linda manhã, vindo um aguaceiro rápido de estio, convidou-o para um breve passeio até o campo próximo, depois de refeita a paisagem.

"Não haviam andado meia milha, quando avistaram vasta faixa de pântano; e o orientador, observando que o charco recebia a água da chuva, explicou:

"'Eis que o lodaçal recolhe o líquido celeste e com ele faz imundo caldo, mas existem batráquios que se beneficiarão com segurança e eficiência, porquanto, se não chovesse, provavelmente estas águas escuras se transformariam em veneno mortal.'

"Depois de alguns passos, encontraram poças de enxurrada nos recôncavos de terra dura, e o mentor, analisando-as, acrescentou:

"'Aqui, a fonte jorrada do firmamento é agora lama desagradável; entretanto, que seria deste chão estéril se a água divina o não visitasse? Amanhã, talvez veremos neste solo perfumada floração de lírios rústicos.'

"Marcharam adiante e detiveram-se na contemplação de algumas árvores nuas. A água, nos galhos ressequidos, parecia cinzenta e fétida, mas o instrutor esclareceu:

"'Nestas árvores abandonadas, a bênção da chuva cristalina se fez pesada e sombria; no entanto, que lhes aconteceria se as dádivas do Alto não as beneficiassem? Possivelmente, morreriam, em breve, até às raízes. Em poucas semanas, porém, cobrir-se-ão de ramagens fartas, servindo aos lares abençoados dos passarinhos.'

"Demandaram além e descobriram alguns pessegueiros, cujas flores guardavam as gotas do céu, com tanta beleza que mais se assemelhavam, dentro delas, a diamantino orvalho, levemente irisado pela claridade solar. O mestre, indicando-as, disse:

"'Aqui, as pétalas puras conservaram o dom celeste com absoluta fidelidade e, muito em breve, serão perfume e beleza em excelentes frutos para o banquete da vida.'

"Logo após, espraiando o olhar pela paisagem enorme, falou ao discípulo espantado:

"'Jamais censures o manancial do socorro celeste. Cada homem lhe recebe o valor no plano em que se encontra. Guardando-lhe os princípios sublimes, o criminoso se faz menos cruel, o pior se mostra menos mau, o imperfeito melhora, o infortunado encontra alívio e os bons se engrandecem para maior amplitude no serviço ao nosso Pai. Se possuis raciocínio suficiente para discernir a realidade, não te percas em reprovações vazias. Aprende com o supremo Senhor que ajuda sempre, de acordo com a posição e a necessidade de cada um, e distribui com todos os que te cercam os bens do Céu que já podes reter com fidelidade e o Céu te abrirá o acesso a tesouros sem fim..."'

Terminada que foi a narrativa, Jesus calou-se.

Os apóstolos, como se houvessem recebido sublime lição em tão poucas palavras, entreolharam-se expressivamente, silenciosos e felizes.

O Senhor, então, abençoou-os e retirou-se para as margens do lago, fitando, pensativo, as constelações que tremeluziam distantes...

49
A jornada redentora

Aberta a doce conversação da noite, acerca da Boa-Nova, a esposa de Zebedeu perguntou reverente, dirigindo-se a Jesus:

— Senhor, como se verificará nossa jornada para o Reino Divino?

O Cristo pareceu meditar alguns momentos e explanou:

— Num vale de longínquo país, alguns judeus cegos de nascença habituaram-se à treva e à miséria em que viviam, e muitos anos permaneciam na furna em que jaziam mergulhados, quando iluminado irmão de raça por lá passou e falou-lhes da profunda beleza do Monte Sião, em Jerusalém, onde o povo escolhido adora o supremo Pai. Ao lhe ouvirem a narrativa, todos os cegos experimentaram grande comoção e lastimaram a impossibilidade em que se mantinham. O vidente amigo, porém, esclareceu-lhes que a situação não era irremediável. Se tivessem coragem de aplicar a si mesmos determinadas disciplinas, com abstinência de variados prazeres de natureza inferior a que se haviam acostumado nas trevas, poderiam recobrar o contato com a luz, avançando na direção da cidade santa.

"A maioria dos ouvintes recebeu as sugestões com manifesta ironia, assegurando que os progenitores e outros antepassados haviam sido igualmente cegos e que se lhes afigurava impossível a reabilitação dos órgãos visuais.

"Um deles, porém, moço corajoso e sereno, acreditou no método aconselhado e aplicou-o.

"Entregou-se primeiramente às disciplinas apontadas e, depois de quatro anos de meditações, trabalho intenso e observação pessoal da Lei, com jejuns e preces, obteve a visão.

"Quase enlouqueceu de alegria.

"Em êxtase, contou aos companheiros a sublimidade da experiência, comentando a largueza do céu e a beleza das árvores próximas; contudo, ninguém acreditou nele.

"Não obstante ser tomado por demente, o rapaz não desanimou.

"Agora, enxergava o caminho e conseguiria avançar.

"Ausentou-se do vale fundo, mas, sem qualquer noção de rumo, vagueou dias e noites, em estado aflitivo. Atacado por lobos e víboras em grande número, usava a maior cautela, reconhecendo a própria inexperiência, até que, em certa manhã, abeirando-se de um esconderijo cavado na rocha, para colher mel silvestre, foi aprisionado por um ladrão que lhe exigiu a bolsa; entretanto, como não possuísse dinheiro, deixou-se escravizar pelo malfeitor que, durante cinco anos sucessivos, o reteve em trabalho incessante. O servo, porém, agiu com tamanha bondade, multiplicando os exemplos de abnegação, que o espírito do perseguidor se modificou, fazendo-se mais brando e reformando-se para o bem, restituindo-lhe a liberdade.

"Emancipado de novo, o crente fiel recomeçou a jornada, porque a ânsia de alcançar o templo divino povoava-lhe a mente.

"Pôs-se a caminho, distribuindo fraternidade e alegria com todos os viajores que lhe cruzassem a estrada, mas, atingindo um vilarejo onde a autoridade era exercida com demasiado rigor, foi encarcerado como se fosse um criminoso desconhecido; no entanto, sabendo que seria traído pelas próprias forças insuficientes, caso buscasse reagir, deixou-se trancafiar até que o problema fosse resolvido, o que reclamou longo tempo. Nunca, entretanto, se revelou inativo no exercício do bem. Na própria cadeia que lhe feria a inocência, encontrou vastíssimas oportunidades para demonstrar boa vontade, amor e tolerância, sensibilizando as autoridades, que o libertaram enfim.

"O ideal de atingir o santuário sublime absorvia-lhe o pensamento e prosseguiu na marcha; todavia, somente depois de vinte anos de lutas e provas, das quais sempre saía vitorioso, é que conseguiu chegar ao Monte Sião para adorar o supremo Senhor."

O Mestre interrompeu-se, vagueou o olhar pela sala silenciosa e rematou:

— Assim é a caminhada do homem para o reino celestial.

Antes de tudo, é preciso reconhecer a sua condição de cego e aplicar a si mesmo os remédios indicados nos mandamentos divinos. Alcançado o conhecimento, apesar da zombaria de quantos o rodeiam em posição de ignorância, é compelido a marchar por si mesmo, e sozinho quase sempre, do escuro vale terrestre para o monte da claridade divina, aproveitando todas as oportunidades de servir indistintamente, ainda mesmo aos próprios inimigos e perseguidores. Quando o seguidor do bem compreende o dever de mobilizar todos os recursos da jornada, em silêncio, sem perda de tempo com reclamações e censuras que somente denunciam inferioridade, então estará em condições de alcançar o reino, dentro do menor prazo, porque viverá plasmando as próprias asas para o voo divino, usando para isso a disciplina de si mesmo e o trabalho incessante pela paz e alegria de todos.

50
Em oração

Na véspera da partida do Senhor, no rumo de Sídon, o culto do Evangelho na residência de Pedro revestiu-se de justificável melancolia. As atividades do estudo edificante prosseguiriam, mas o trabalho da revelação, de algum modo, experimentaria interrupção natural.

A leitura de comoventes páginas de Isaías foi levada a efeito por Mateus, com visível emotividade; entretanto, nessa noite de despedidas, ninguém formulou qualquer indagação.

Intraduzível expectativa pairava no semblante de todos.

O Mestre, por si, absteve-se de qualquer comentário, mas, ao término da reunião, levantou os olhos lúcidos para o Céu e suplicou fervorosamente:

— Pai, acende a tua divina Luz em torno de todos aqueles que te olvidaram a bênção nas sombras da caminhada terrestre.

"Ampara os que se esqueceram de repartir o pão que lhes sobra na mesa farta.

"Ajuda os que não se envergonham de ostentar felicidade ao lado da miséria e do infortúnio.

"Socorre os que se não lembram de agradecer aos benfeitores.

"Compadece-te daqueles que dormiram nos pesadelos do vício, transmitindo herança dolorosa aos que iniciam a jornada humana.

"Levanta os que olvidaram a obrigação de serviço ao próximo.

"Apieda-te do sábio que ocultou a inteligência entre as quatro paredes do paraíso doméstico.

"Desperta os que sonham com o domínio do mundo, desconhecendo que a existência na carne é simples minuto entre o berço e o túmulo, à frente da Eternidade.

"Ergue os que caíram vencidos pelo excesso de conforto material.

"Corrige os que espalham a tristeza e o pessimismo entre os semelhantes.

"Perdoa aos que recusaram a oportunidade de pacificação e marcham disseminando a revolta e a indisciplina.

"Intervém a favor de todos os que se acreditam detentores de fantasioso poder e supõem loucamente absorver-te o juízo, condenando os próprios irmãos.

"Acorda as almas distraídas que envenenam o caminho dos outros com a agressão espiritual dos gestos intempestivos.

"Estende paternas mãos a todos os que olvidaram a sentença de morte renovadora da vida que a tua lei lhes gravou no corpo precário.

"Esclarece os que se perderam nas trevas do ódio e da vingança, da ambição transviada e da impiedade fria, que se acreditam poderosos e livres, quando não passam de escravos, dignos de compaixão, diante de teus sublimes desígnios.

"Eles todos, Pai, são delinquentes que escapam aos tribunais da Terra, mas estão assinalados por tua justiça soberana e perfeita, por delitos de esquecimento, perante o infinito Bem..."

A essa altura, interrompeu-se a rogativa singular.

Quase todos os presentes, inclusive o próprio Mestre, mostravam lágrimas nos olhos e, no alto, a Lua radiosa, em plenilúnio divino, fazendo incidir seus raios sobre a modesta vivenda de Simão, parecia clamar sem palavras que muitos homens poderiam viver esquecidos do supremo Senhor; entretanto, o Pai de infinita Bondade e de perfeita Justiça, amoroso e reto, continuaria velando...

Índice geral[1]

Abastança – 27

Ação com acerto – 10

Adorador
  morte do corpo físico – 11
  Mundo Espiritual – 11

Aflição
  causas ocultas – 35
  humildade – 31
  paciência – 31

Alma rebelde
  destino – 2

Amizade e entendimento – 30

Amor
  bem comum – 6
  mensageiro – 9
  pecado – 26
  respeito ao semelhantes – 31

Anjo de guarda – 31

Anomalia na governança – 13

Aprendiz anônimo – 43

Atuação desgovernada – 8

Austeridade – 10

Autocombate – 24

Autotransformação – 36, 47
  amor e humildade – 6

exercício – 49
reforma do outro – 47

Bem-estar
  coisa essencial – 44

Beneficência – 20

Benevolência – 42

Boa-Nova
  divulgação – 48
  lições – 43
  ministério da – 45
  boa vontade
  autoajuda – 16
  imperfeição – 38

Bom samaritano – 29

Caridade
  direta e indireta – 29
  exigências – 34
  impedimentos – 34
  material – 21
  moral – 21
  ouvir – 30
  prática – 4, 20
  sacrifício – 16
  santidade – 24

Cidade revoltada – 40

Ciência
  coração adormecido – 14
  elevação espiritual – 14

---

[1] N.E.: Remete ao número do capítulo.

Índice geral

mensageiro – 9
multidão inconsciente – 9

Cólera
desafio íntimo – 12

Conflito
celeste vontade – 41

Consciência
acomodação – 37

Conversa improdutiva – 1, 30
Convicção inútil – 37

Cooperação
esquecimento – 23
inútil – 8
lei divina – 16
opinião pessoal – 23

Cooperador – 26

Coragem
bom ânimo – 27
dom – 27

Crítica – 10

Cultura e santificação – 9

Cura
talismã – 22

Desgosto – 6

Destino – 3

Deus
morada – 32
pontos de vista – 32
concepção primitiva – 32
natureza – 32
servo – 28

Devoção excessiva
consequência espiritual – 11

Discípulo de Jesus
impaciência – 5
imperfeito – 38
intolerância – 5
isolamento – 11
lodo da Terra – 4

preparação – 43
trabalho infatigável – 4

Discurso
perturbador – 15
santificante – 24

Discussão improdutiva – 23

Divulgação doutrinária
comércio – 48

Doente *ver* Enfermo

Dor
oculta – 35
presença de Deus – 28

Doutrinador
discurso veemente – 15

Dureza de coração – 13

Educação
dor – 5
Espírito – 7

Egoísmo
consequência – 46
riqueza – 21

Elevação espiritual
aprimoramento intelectual – 14
edificação do amor – 14

Emissário irresponsável
socorro retardado – 23

Enfermo
capacidade de socorro – 6
mental – 15
egoísta – 16

Entusiasmo
coragem – 27

Escola das almas – 1

Esperança
missão – 25

Espírito de serviço – 8

Evangelho
aprendiz – 4

Índice geral

Evangelização
  Humanidade – 38
  imperfeição – 38

Exemplo profissional
  carpinteiro – 1
  oleiro – 1
  pescador – 1

Exercício da justiça – 10

Família
  incompreensão – 6

Fé
  função – 25
  inoperante – 37
  problemas – 37

Felicidade
  amor e vigilância – 46
  busca – 46
  compreensão dos outros – 19
  egoísmo – 46
  maledicência – 19
  receita – 19
  riquezas transitórias – 44
  semente – 46

Fidelidade a Deus
  cólera – 12
  dinheiro – 12
  necessidade – 12
  poder – 12

Fragilidade espiritual
  mocidade – 27

Governo
  filósofo – 7
  guerreiro – 7
  homem simples – 7
  político – 7
  sacerdote – 7

Guerra
  civil – 15
  trevas da ignorância – 24

Homem primitivo
  Deus – 32

Humildade
  bem comum – 6

Impaciência
  servo de Jesus – 5

Indisciplina
  filho de Deus – 37

Indulgência – 42

Imperfeição
  boa vontade – 38

Inteligência
  verdade – 27

Intercomunicação
  mentalidades diversas – 42

Intolerância
  ignorância – 14
  mensageira de Deus – 34
  orgulho – 14
  servo de Jesus – 5
  vaidade – 14

Irritação
  causa oculta – 35

Jesus
  prece – 50
  quem é – JL

Julgamento
  convivência – 13

Lar
  cadinho santo – 2
  comunidade segura – 1
  escola das almas – 1, 2
  evangelho – JL
  paz do mundo – 1
  primeiro templo da alma – 1

Lei divina
  aprendiz – 41
  cooperação – 16

Liberdade
  inquietude – 27

Luta espiritual
  problema – 36

Índice geral

Mal
  caridade e combate – 21
  contemplação – 34
  perdão – 42

Malícia
  olhos cheios – 34

Mansidão
  conceito – 17

Mau humor
  causa oculta – 35

Mensageiro
  amor – 9
  ciência – 9

Missão evangélica – 41

Mocidade
  fragilidade espiritual – 27

Moisés
  descendente – 3
  mensagem divina – 3

Morte
  dissabor – 18

Natureza
  destruição – 37

Nobreza
  crédito de amor – 24

Ociosidade – 8, 38

Opinião pessoal
  cooperação – 23
  objetivo – 23

Oração
  isolamento – 11
  Jesus – 50

Orgulho – 31
  interesse alheio – 31

Patrimônio terreno
  valor – 44

Paz
  leis – 15
  mundo – 1

Perdão – 3

Poder
  abuso – 31
  prática do amor – 24
  revolta dos corações – 27
  subalterno brutalizado – 10

Pontualidade – 30

Prece *ver* Oração

Pré-julgamento – 13

Provação – 39

Qualidades nobres
  aquisição – 43
  sabedoria – 24

Rebeldia
  compreensão – 13
  governante – 15

Recursos minerais
  aproveitamento – 32

Redenção
  ideias – 48

Reino divino
  adiamento – 3
  construção – 46
  ideia – 3
  imperativo da ação – 45
  jornada – 49
  procura – 33
  verdade salvadora – 45

Reprovação vazia – 48

Resposta divina – 28

Revelação celeste
  coração humano – 3

Revolução – 13

Riqueza inútil – 12

Rixas verbais – 8

Sabedoria
  divina – 14
  educação e serviço – 8

Índice geral

ouvir o outro – 15
pureza – 24

Sacerdote
maldição – 15
regras de adoração – 7
revolta desesperada – 15

Salomão
palavras – 18

Salvação
ciência – 14
isolamento – 11
teoria – 15

Santidade
caridade – 24
comprovação – 12
valor na Terra – 26

Santificação
potências educadoras – 12

Santuário familiar
Jesus – JL

Saúde
velhice – 27

Sensatez – 8

Sentimento
desvarios – 10

Servo de Jesus *ver* Discípulos de Jesus

Servo(a) de Deus
dificuldade – 28
escandalizada – 34
inconstância – 5

Servidor
inoperante – 37
maior – 7

Socorro
emissário irresponsável – 23
providência – 23

Sofrimento
aguilhão – 31
causa – 31, 35
recurso espiritual – 2

Talismã
tempo – 22
tesouro do amor – 22

Tarefa evangélica
fraqueza – 41

Templo da alma – 1

Tempo
aproveitamento – 43

Tentação – 39, 40

Terra
domínio espiritual – 17
manso e pacífico – 17

Trabalho
bênção – 7
boa vontade – 7
desânimo – 39
poder – 18
tristeza – 40, 41

Transformação do outro – 36

Trevas
desafio – 40

Valores terrenos – 44

Verdade
consolação – 18
cultivo – 30
fuga – 25
incompreensão – 48
libertação – 25
luz divina total – 25
porta da libertação – 25

Vida
carnal – 2
dificuldade – 4
particular – 36

Virtude
preconceito – 26
inútil – 26

Viuvez – 27

| \multicolumn{5}{c}{JESUS NO LAR} |
EDIÇÃO	IMPRESSÃO	ANO	TIRAGEM	FORMATO
1	1	1950	10.146	11x16
2	1	1951	10.146	11x16
3	1	1958	10.146	11x16
4	1	1963	5.073	11x16
5	1	1966	5.000	11x16
6	1	1970	5.000	11x16
7	1	1972	20.000	11x15,5
8	1	1977	10.200	11x15,5
9	1	1979	10.200	11x15,5
10	1	1980	10.200	11x15,5
11	1	1982	10.200	11x15,5
12	1	1983	10.200	11x15,5
13	1	1984	10.200	11x15,5
14	1	1986	15.200	11x15,5
15	1	1987	20.000	11x15,5
16	1	1989	20.200	11x15,5
17	1	1991	15.000	11x15,5
18	1	1992	10.000	11x15,5
19	1	1993	20.000	11x15,5
20	1	1994	20.000	11x15,5
21	1	1996	20.000	11x15,5
22	1	1997	15.000	11x15,5
23	1	1998	10.000	11x15,5
24	1	1999	10.000	11x15,5
25	1	2000	10.000	11x15,5
26	1	2000	10.000	11x15,5
27	1	2001	3.000	11x15,5
28	1	2001	5.000	11x15,5
29	1	2002	10.000	11x15,5
30	1	2003	15.000	11x15,5
31	1	2004	5.000	11x15,5
32	1	2005	3.000	11x15,5
33	1	2005	8.000	11x15,5
34	1	2005	12.000	11x15,5
35	1	2006	15.000	11x15,5
36	1	2008	3.000	11x15,5
36	2	2008	3.000	11x15,5
36	3	2008	3.000	11x15,5
36	4	2008	6.000	11x15,5
37	1	2008	15.000	16x23

JESUS NO LAR				
EDIÇÃO	IMPRESSÃO	ANO	TIRAGEM	FORMATO
37	2	2009	15.000	16x23
37	3	2010	20.000	16x23
37	4	2011	12.000	16x23
37	5	2012	10.000	16x23
37	6	2013	10.000	16x23
37	7	2014	5.000	16x23
37	8	2014	5.000	16x23
37	9	2015	6.000	16x23
37	10	2015	5.000	16x23
37	11	2016	5.500	16x23
37	12	2017	5.000	16x23
37	13	2017	6.000	16x23
37	14	2018	5.000	16x23
37	15	2018	2.500	16x23
37	16	2018	4.000	16x23
37	17	2019	2.800	16x23
37	18	2019	3.200	16x23
37	19	2020	7.500	16x23
37	20	2021	5.500	16x23
37	21	2022	7.500	15,5x23
37	22	2023	3.500	15,5x23
37	23	2024	6.000	15,5x23
37	24	2025	5.000	15,5x23

LITERATURA ESPÍRITA

Em qualquer parte do mundo, é comum encontrar pessoas que se interessem por assuntos como imortalidade, comunicação com Espíritos, vida após a morte e reencarnação. A crescente popularidade desses temas pode ser avaliada com o sucesso de vários filmes, seriados, novelas e peças teatrais que incluem em seus roteiros conceitos ligados à espiritualidade e à alma.

Cada vez mais, a imprensa evidencia a literatura espírita, cujas obras impressionam até mesmo grandes veículos de comunicação devido ao seu grande número de vendas. O principal motivo pela busca dos filmes e livros do gênero é simples: o Espiritismo consegue responder, de forma clara, perguntas que pairam sobre a Humanidade desde o princípio dos tempos. Quem somos nós? De onde viemos? Para onde vamos?

A literatura espírita apresenta argumentos fundamentados na razão, que acabam atraindo leitores de todas as idades. Os textos são trabalhados com afinco, apresentam boas histórias e informações coerentes, pois se baseiam em fatos reais.

Os ensinamentos espíritas trazem a mensagem consoladora de que existe vida após a morte, e essa é uma das melhores notícias que podemos receber quando temos entes queridos que já não habitam mais a Terra. As conquistas e os aprendizados adquiridos em vida sempre farão parte do nosso futuro e prosseguirão de forma ininterrupta por toda a jornada pessoal de cada um.

Divulgar o Espiritismo por meio da literatura é a principal missão da FEB, que, há mais de cem anos, seleciona conteúdos doutrinários de qualidade para espalhar a palavra e o ideal do Cristo por todo o mundo, rumo ao caminho da felicidade e plenitude.

CARIDADE: AMOR EM AÇÃO

Sede bons e caridosos: essa a chave que tendes em vossas mãos. Toda a eterna felicidade se contém nesse preceito: "Amai-vos uns aos outros". KARDEC, Allan. *O evangelho segundo o espiritismo*, cap. 13, it. 12.

A Federação Espírita Brasileira (FEB), em 20 de abril de 1890, iniciou sua *Assistência aos Necessitados* após sugestão de Polidoro Olavo de S. Thiago ao então presidente Francisco Dias da Cruz. Durante 87 anos, esse atendimento representava o trabalho de auxílio espiritual e material às pessoas que o buscavam na instituição. Em 1977, esse serviço passou a chamar-se Departamento de Assistência Social (DAS), cujas atividades assistenciais nunca se interromperam.

Desde então, a FEB, por seu DAS, desenvolve ações socioassistenciais de proteção básica às famílias em situação de vulnerabilidade e risco socioeconômico. Fortalece os vínculos familiares por meio de auxílio material e orientação moral-doutrinária com vistas à promoção social e crescimento espiritual de crianças, jovens, adultos e idosos.

Seu trabalho alcança centenas de famílias. Doa enxovais para recém-nascidos, oferece refeições, cestas de alimentos, cursos para jovens, serviços de convivência e fortalecimento de vínculos para idosos e organiza doações de itens que são recebidos na instituição e repassados a quem necessitar.

Essas atividades são organizadas pelas equipes do DAS e apoiadas com recursos financeiros da instituição, dos frequentadores da casa e por meio de doações recebidas, num grande exemplo de união e solidariedade.

Seja sócio contribuinte da FEB, adquira suas obras e estará colaborando com o seu Departamento de Assistência Social.

O EVANGELHO NO LAR

Quando o ensinamento do Mestre vibra entre quatro paredes de um templo doméstico, os pequeninos sacrifícios tecem a felicidade comum.[1]

Quando entendemos a importância do estudo do Evangelho de Jesus, como diretriz ao aprimoramento moral, compreendemos que o primeiro local para esse estudo e vivência de seus ensinos é o próprio lar.

É no reduto doméstico, assim como fazia Jesus, no lar que o acolhia, a casa de Pedro, que as primeiras lições do Evangelho devem ser lidas, sentidas e vivenciadas.

O espírita compreende que sua missão no mundo principia no reduto doméstico, em sua casa, por meio do estudo do Evangelho de Jesus no Lar.

Então, como fazer?

Converse com todos que residem com você sobre a importância desse estudo, para que, em família, possam compreender melhor os ensinamentos cristãos, a partir de um momento de união fraterna, que se desenvolverá de maneira harmônica e respeitosa. Explique que as reflexões conjuntas acerca do Evangelho permitirão manter o ambiente da casa espiritualmente saneado, por meio de sentimentos e pensamentos elevados, favorecendo a presença e a influência de Mensageiros do Bem; explique, também, que esse momento facilitará, em sua residência, a recepção do amparo espiritual, já que auxilia na manutenção de elevado padrão vibratório no ambiente e em cada um que ali vive.

Convide sua família, quem mora com você, para participar. Se mora sozinho, defina para você esse momento precioso de estudo e reflexões. Lembre-se de que, espiritualmente, sempre estamos acompanhados.

Escolha, na semana, um dia e horário em que todos possam estar presentes.

O tempo médio para a realização do Evangelho no Lar costuma ser de trinta minutos.

XAVIER, Francisco Cândido. *Luz no lar*. Por Espíritos diversos. 12. ed., 7. imp. Brasília: FEB, 2018. Cap. 1.

As crianças são bem-vindas e, se houver visitantes em casa, eles também podem ser convidados a participar. Se não forem espíritas, apenas explique a eles a finalidade e importância daquele momento.

O seguinte roteiro pode ser utilizado como sugestão:

1. Preparação: Leitura de mensagem breve, sem comentários;
2. Início: Prece simples e espontânea;
3. Leitura: *O evangelho segundo o espiritismo* (um ou dois itens, por estudo, desde o prefácio);
4. Comentários: breves, com a participação dos presentes, evidenciando o ensino moral aplicado às situações do dia a dia;
5. Vibrações: pela fraternidade, paz e pelo equilíbrio entre os povos; pelos governantes; pela vivência do Evangelho de Jesus em todos os lares; pelo próprio lar...
6. Pedidos: por amigos, parentes, pessoas que estão necessitando de ajuda...
7. Encerramento: prece simples, sincera, agradecendo a Deus, a Jesus, aos amigos espirituais.

As seguintes obras podem ser utilizadas nesse momento tão especial:

- *O evangelho segundo o espiritismo*, como obra básica;
- *Caminho, verdade e vida; Pão nosso; Vinha de luz; Fonte viva; Agenda cristã.*

Esse momento no lar não se trata de reunião mediúnica e, portanto, qualquer ideia advinda pela via da intuição deve permanecer como comentário geral, a ser dito de maneira simples, no momento oportuno.

No estudo do Evangelho de Jesus no Lar, a fé e a perseverança são diretrizes ao aprimoramento moral de todos os envolvidos.

FEB editora
Livro espírita para um novo mundo
www.febeditora.com.br
@febeditoraoficial
@febeditora

Conselho Editorial:
*Carlos Roberto Campetti
Cirne Ferreira de Araújo
Evandro Noleto Bezerra
Geraldo Campetti Sobrinho – Coord. Editorial
Jorge Godinho Barreto Nery – Presidente
Maria de Lourdes Pereira de Oliveira
Miriam Lúcia Herrera Masotti Dusi*

Produção Editorial:
Elizabete de Jesus Moreira

Revisão:
*Lígia Dib Carneiro
Perla Serafim*

Capa, Projeto Gráfico e Diagramação:
Helise Oliveira Gomes

Foto de Capa:
www.istockphoto.com/ Aldo Murillo

Normalização Técnica:
Biblioteca de Obras Raras e Documentos Patrimoniais do Livro

Esta edição foi impressa pela Plenaprint Gráfica e Editora Ltda, Guarulhos, SP, com tiragem de 5 mil exemplares, todos em formato fechado de 155x230 mm e com mancha de 110x185 mm. Os papéis utilizados foram o Off white bulk 58 g/m² para o miolo e o Cartão 250 g/m² para a capa. O texto principal foi composto em fonte Adobe Garamond Pro 13/15 e os títulos em Adobe Garamond Pro 23/30. Impresso no Brasil. *Presita en Brazilo.*